Voor Anemoon, Saveer en Lutein

www.simonearts.nl
www.uitgeverijholland.nl

Simone Arts

Sterren!

Tekeningen van Ingeborg Vriends van der Steijn

Uitgeverij Holland - Haarlem

My momma told me when I was young
We are all born superstars
Lady Gaga – Born this way

Besluiteloos keek Sterre haar zolderkamer rond. Met een gloednieuwe verfkwast wreef ze over haar wang. De muren waren keurig wit en nog helemaal kaal. Alle scheurtjes en barstjes die in haar fantasie nu eens wolken, sterren of microfoons en dan weer muzieknoten waren geweest, waren verdwenen. Het nieuwe prikbord boven haar bureau was nog leeg.
'Ik wil een groene kamer,' had ze tegen haar moeder gezegd, 'helemaal groen met op één muur wit behang met groene sterren erop.'
Mam had bedenkelijk gekeken.
'Of een gele kamer. Of een paarse. Of nee: een gouden kamer!'
Maar moeder schudde haar hoofd. 'Dat ben je toch allemaal binnen de kortste keren weer zat, Ster. Nee hoor, we verven alles wit, het hele huis, dat is stijlvol en tijdloos. Ik weet zeker dat we daarna het idee hebben dat we in een splinternieuw huis wonen!'
Splinternieuw was het bepaald niet. Het kleine theater Tussen De Schuifdeuren was net zo oud als het marktplein met de waterpomp waar het aan lag. Sterre woonde er met haar vader en moeder al haar hele leven boven. En zoals haar moeder het

zei, zo gebeurde het. Ook dat was niet nieuw.
Er werd op de deur geklopt. Sterres vader kwam binnen met een keukentrap en een boormachine. 'Zal ik even je grote spiegel ophangen en de spotlights? Dan kun je weer lekker swingen en zingen,' zei hij.
Snel moffelde Sterre de kwast weg onder haar dekbed.
'Goed. Ik help je wel.'
Hoe eerder hij weer weg was, hoe eerder ze haar plan kon uitvoeren.
'Wanneer heb je de auditie voor de eindmusical ook alweer?' vroeg vader terwijl hij de spiegel ophing. 'Morgen?'
'Ja.'
'Hoe heet de musical?'
'Sing Sing Sing.'
'Leuk!'
'Mja.' Zo leuk vond Sterre het helemaal niet. Ze wílde het wel leuk vinden, maar dat lukte niet. Door de zenuwen. Ze had veel te veel last van zenuwen.
Moeder stak haar hoofd om de hoek van de deur. 'Ah, zijn jullie hier. Mooi, die spiegel daar! Zeg Ster, weet jij waar mijn rode lippenstift ligt? Ik kan hem nergens vinden.'
O jee, die zat nog in haar broekzak! Ze had hem gepakt om... nou ja, dat moest dan straks maar even.
'Hier.' Sterre gaf de lippenstift aan haar moeder alsof het de suikerpot was. Of de krant. Of iets anders gewoons, wat je zo eens aan je moeder geven kon als ze erom vroeg.
'Hoe kom jij daar nou aan?'
'Gewoon.' Ze zei het zo onverschillig mogelijk.
'Gewoon? Ster, deze lippenstift is hartstikke duur. En ik ben er erg aan gehecht. Als ik iets belangrijks te doen heb, wil ik hem op. Dus: afblijven voortaan. Begrepen?'
Sterre knikte. 'Wat heb je nu voor belangrijks te doen dan?'

Mam ging voor de grote spiegel staan en rommelde wat in haar haren. 'Ik heb vanmiddag een gesprek,' zei ze. Ze keek er heel geheimzinnig bij.

Sterre haalde haar schouders op. Nou en? Haar moeder had zowat dagelijks gesprekken. Met journalisten, met managers van artiesten, met artiesten zelf, met decorbouwers, met mensen van licht en geluid, met...

'Met Jade.'

'Jade?!' riep Sterre. 'Dat méén je niet!'

'Jawel,' zei mam. Ze zuchtte diep. 'Dat meen ik wel. En dat is niet niks. Dus moet ik mijn lippenstift.'

'Tsssss,' zei Sterre. 'Ja, dat snap ik. Het zou wel megasuperultrafantastisch zijn als ze hier komt optreden. Mag ik dan kijken? Please?'

Moeder maakte een afwerend gebaar met haar handen. 'Rustig aan, Ster. Ik moet haar er eerst nog van zien te overtuigen dat optreden op ons kleine podium net zo'n kick geeft als optreden in een stadion waarin duizenden mensen passen.'

'Makkie,' vond vader en hij somde op: 'Wij hebben een intieme ambiance, een uitstekende akoestiek, een groot bereik en dito klandizie, zeer goede connecties met alle dagbladrecensenten...'

'Jaja, dat weet ik ook allemaal wel. Hou jij je nou maar bezig met dat technische gekeutel, dan doe ik de zaken,' zei mam.

Vader grinnikte en gaf haar een zoen in haar nek. 'Ben je nerveus?'

'Helemaal niet!' Het klonk net iets te fel.

'Wist je al dat Sterretje morgen auditie gaat doen?' vroeg vader.

'Ja natuurlijk. Je krijgt vast de hoofdrol, Ster!'

'Die is er niet,' zei Sterre. 'Maar er zijn wel twee rollen met een zangsolo. Een voor een jongen, die speelt een zanger en een voor een meisje. Een zangeres.'

Moeder knikte. 'En die worden zeker verliefd op elkaar?'

‘Hoe weet je dat?’
‘Tja, zo gaat dat in musicals. Ik durf te wedden dat meester Marius jou de rol van zangeres geeft. Die audities heeft ’ie gewoon voor de vorm georganiseerd.’
Sterre zweeg. Ze wist wat haar moeder nu zou gaan zeggen.
‘Iedereen weet hoe goed je kunt zingen, lieve Ster. Je tweede naam is niet voor niets Julie!’
Dat dus. Moeder aaide over haar haren en gaf haar een knipoog.
Sterre trok haar mond in een glimlach. Mam was dol op musicals en had Sterre vernoemd naar Julie Andrews, ‘de allerbeste musicalster aller tijden’, tenminste dat vond ze zelf. Nou ja. Sterre wist best dat ze goed kon zingen, maar de zenuwen waren altijd de baas. Bovendien zaten er wel meer meisjes in haar klas die zuiver zongen. Marit bijvoorbeeld en Doreen. Doreen was Sterres beste vriendin en kon waanzinnig goed zingen én toneelspelen. Van zenuwen had ze nog nooit gehoord.
Moeder stiftte haar lippen, rechtte haar schouders en zei: ‘Zo. Nu ga ik eens kijken hoe we Jade het TDS binnen kunnen halen. Regelen jullie koffie en thee? Wish me luck!’
Vader klapte de keukentrap in en deed zijn gereedschap terug in de gereedschapskist. ‘Klaar!’
‘Dank je, pap. Ik vind het hartstikke mooi, die spotlight daar aan het plafond. En die spiegel hangt ook goed. Ik zet zo wel koffie en thee.’
‘Fijn. Bel me maar als het klaar is,’ zei vader.
‘Ik breng het wel,’ zei Sterre. Bij het idee alleen al kreeg ze de bibbers. Stel je voor dat ze knoeide! Of het hele dienblad liet vallen! In gedachten zag ze de koffie al over de vloer gutsen of nog erger: over de gave, stoere kleren van Jade.
Maar Jade in het echt zien, leek haar helemaal te gek. Ze was zo

benieuwd of haar ogen in het echt net zo fel groen waren als ze op tv, internet en in magazines altijd leken.
'Dat lijkt me geen goed idee, Sterretje. Je weet hoe mam is.'
Sterre zuchtte. Moeders wil was wet. Overal en altijd, maar extra ultra dubbel in het theater. Dat Sterre daar af en toe rondscharrelde vond ze prima, zo lang ze maar niet in de buurt kwam van het kantoor waar de zaken werden gedaan.
'Oké dan,' zei ze en deed de deur achter vader dicht.

Eindelijk was ze dan alleen in haar nieuwe kamer. Uit haar bureaula viste ze vijftien kaarten waarop *Praha* stond geschreven en een zakje punaises. Ze hing de kaarten op het prikbord. Ze dacht aan de audities van morgen en voelde een steek in haar buik. Doreen wilde dolgraag de rol met de zangsolo. Sterre snapte dat best. Het leek haar ook super om in je eentje op het podium te zingen en de ster van de avond te zijn. Waarom had zij nou toch altijd zo'n last van zenuwen? Gek werd ze ervan.

In de keuken, een verdieping lager, zette ze koffie en thee. Met vers geklopte melk, een koekje en een chocolaatje, witte suiker, rietsuiker én zoetjes. Het lepeltje rechts op het schoteltje. Terwijl ze wachtte tot de melk warm was, hoorde ze beneden de bel. Zou het Jade zijn? Zachtjes schoof ze het raam open en boog zich zover mogelijk voorover. Ja! Ze was het, samen met een man in pak. Dat was zeker haar manager. Hij betaalde de taxichauffeur. Vreemd, dacht Sterre, dat ze met z'n tweeën kwamen. De meeste artiesten stuurden alleen hun manager en kwamen zelf niet eens mee.
Sterre hoorde haar moeder de sloten van de dubbele theaterdeuren opendraaien. Ze boog zich nog iets verder naar voren en kon nog net zien hoe er handen werden geschud.

'Welkom in theater Tussen De Schuifdeuren,' hoorde ze haar moeder zeggen. Daarna verdween het geluid naar binnen.
Sterre deed het raam weer dicht en dwong zichzelf om niet hard te gaan gillen. Ze had Jade in het echt gezien! Wow! Dit moest ze aan Doreen vertellen. In de vensterbank zocht ze naar de telefoon. Die lag verscholen tussen oude kranten en stapels post. Ze toetste een '2' in. Dat was de mobiel van haar vader.
'De koffie is klaar,' zei ze toen hij opnam. 'Ze zijn met z'n tweeën gekomen.'
Toen liep ze de trap weer op naar haar slaapkamer en bleef met de telefoon in haar handen lang voor de spiegel staan. Jade was mooi. In het echt nog mooier dan op posters en tv, vond ze. Ongeveer achttriljoenvijfhonderdduizendnegenhonderdzevenenzeventig keer zo mooi als ze zelf was.
Ze rommelde aan haar paardenstaart. 'Een bos verlepte worteltjes,' mompelde ze. 'Wie 'm wil, mag 'm hebben.'
Op school werd ze nogal eens uitgemaakt voor Pippi Langkous. Marit was daarmee begonnen toen ze in groep 3 zaten. Ze herinnerde nog die keer dat Marit haar plaagde. Samen met Doreen speelde ze op het schoolplein dat ze beroemde wereldsterren waren. Marit wilde ook graag met Doreen spelen en riep: 'Sterre beroemd!? Pfff, net als Pippi Langkous zeker!' Doreen had Marit giftig aangekeken en gezegd: 'Toevallig is Pippi Langkous wereldberoemd! Trouwens, wees maar blij dat Sterre Pippi Langkous niet is. Anders had ze je vast aan je broekriem opgetild en over het hek van de school heen gesmeten!'
Snel toetste Sterre het nummer in van haar beste vriendin.

'Met Doreen van Soest,' klonk het mat.
Sterre fronste haar wenkbrauwen. Doreen kwetterde meestal vrolijker dan de vogels op een zonnige dag in de lente.
'Met Ster. Wat is er?'
'Eh... nou...' Sterre hoorde Doreens vader iets zeggen op de achtergrond, maar ze kon het niet verstaan. Het klonk streng. Doreens vader was nooit streng.
'Niks,' zei Doreen zacht.
'Weet je het zeker?'
Doreen beantwoordde de vraag niet. 'Waarom bel je?'
'Ik heb net Jade in het echt gezien en mijn nieuwe kamer is af!'
'Gaaf, zeg.'
'Wil je niet weten hoe 'ie eruit ziet?'
'Ja. Ja, tuurlijk.'
'Nou eh, m'n muren zijn dus nog helemaal wit, maar op het prikbord hangen al jouw kaarten. En op de grote spiegel ga ik...'
'Klinkt goed. En Jade? Hoe zag zij eruit?'
'Jade? Zoals altijd, gaaf natuurlijk. Stoer. Leren broek. Hoge hakken. Weet je, misschien komt ze hier wel optreden. Dan

krijg je een kaartje van me. Goed?'
'Ja, goed.'
'Kom je anders nu even langs? Dan kun je mijn kamer zien en Jade misschien ook wel. Ze is nog met m'n moeder aan het praten in haar kantoor.'
'Ik kan nu niet weg. Mijn oma is op bezoek.'
'Jammer.' Sterre zuchtte.
'Ja. Tot morgen.'
'Oké dan. Haal je me op?'
'Altijd, toch?'
'Kom wat vroeger, dan laat ik je mijn kamer zien.'
'Doe ik.'
'De groeten aan je oma. Tot morgen.' Een beetje teleurgesteld verbrak Sterre de verbinding.
Doreen deed anders dan anders. Het leek wel alsof Sterres nieuwe kamer en de audities haar niet zoveel konden schelen. Zelfs toen Sterre haar een kaartje voor Jade beloofde, reageerde ze niet erg enthousiast. Zou ze zich niet lekker voelen?

'Ik word later wereldberoemd,' fluisterde Doreen altijd in bed als ze bij elkaar logeerden. 'Eerst ga ik rechten studeren, want dat willen mijn ouders graag en daarna word ik een wereldberoemde musicalster. En jij?'
Sterre negeerde dan altijd Doreens ogen. Tegen het donkere plafond antwoordde ze zachtjes: 'Ik ook zoiets. Als ik goed genoeg ben, tenminste.' Doreen was ervan overtuigd dat ze goed genoeg was. Die twijfelde nooit aan zichzelf en vond alles wat met het theater te maken had geweldig.

Sterre belde nog een keer.
'Met Doreen van Soest.'
'Ben je ziek?'

'Nee... eh... ja. Ik ben niet zo lekker. Laat me maar even. Tot morgen.'
'Dacht ik al. Sterkte Do! Tot morgen.'
Gerustgesteld gooide Sterre de telefoon op haar bed. Dat was het dus. Doreen zat niet lekker in haar vel vandaag. Sterre ging voor de spiegel staan.
'Concentreer je nu op morgen,' zei ze streng tegen zichzelf. 'Sing sing sing!'
Stel je voor, dat ze de auditie perfect zou doen en dat ze de rol van de zangeres zou krijgen. Ze begon te neuriën en zette haar laptop aan. Ze zocht naar Jade op YouTube en bekeek een nummer van haar laatste liveoptreden zo vaak, totdat ze de tekst en de melodie helemaal uit haar hoofd kende. Toen ging ze weer voor de spiegel staan om het nog eens te zingen. Na drie regels stopte ze. Vreselijk! Dat kind met peenhaar en een stem als een valse rode kater was haar spiegelbeeld! Het was nog lang niet goed genoeg. Ze moest eerst nog wat inzingen. Weer ging de laptop aan en weer bekeek ze de video op YouTube een aantal keren. Toen oefende ze weer voor de spiegel. Daarna weer met YouTube. En daarna...
'Sterretje!'
Sterre schrok zich rot.
'We gaan eten. Zei ik al een keer of vier,' zei vader. Hij stond in de deuropening van haar slaapkamer. 'De volgende keer iets minder hard graag. Je was beneden in de coulissen nog te horen!'
Sterre sloeg haar hand voor haar mond. 'Nee toch! Heeft Jade me gehoord?'
Vader haalde zijn schouders op. 'Ze is net weg. Mam zit al aan tafel. Kom.'
In de keuken rook het naar pannenkoeken.
'Lekker!' zei Sterre.

'Om het te vieren,' zei moeder.
'Je bedoelt... Komt ze hier optreden?'
Moeder knikte lachend. Sterre vloog haar om de hals. 'Geweldig! Fantastisch! Perfect gewoon!'
'Het viel niet mee hoor, om haar te overtuigen,' zei moeder hoofdschuddend. 'Ik moest praten als brugman. Daarna wilde ze iedere hoek van het theater bekijken. Ze doet altijd zo stoer, maar volgens mij is ze een behoorlijke controlefreak. In ieder geval is het gelukt en daarom eten we pannenkoeken.'
'En omdat je kamer zo mooi is geworden,' zei vader snel. 'Dat willen we ook vieren. Krijg ik nu ook een knuffel?'
Gekke pap. Sterre gaf hem ook een zoen.
'Wat zong je lekker, daarnet,' zei haar moeder.
'Sorry,' zei Sterre met volle mond. 'Heeft Jade het ook gehoord?'
'Nee joh,' zei mam verbaasd. 'Dat kan toch helemaal niet?'
'Pap zei dat in de coulissen...'
Vader trok een gezicht.
'Pahap!' Sterre wist niet of ze opgelucht moest zijn of teleurgesteld. Stel je voor dat Jade haar wel had horen zingen en dat ze het goed gevonden had. Ze zou misschien gevraagd hebben wie er boven toch zo mooi aan het zingen was. Haar moeder zou natuurlijk trots antwoorden: 'Mijn fan-tas-tische dochter Sterre Julie.' Dan zou Jade vragen of ze eens kennis met Sterre mocht maken. Ze zocht nog iemand met precies zo'n stem als Sterre om een duet mee te zingen in de stadsschouwburg van Amsterdam en dan...
Stel dat Jade haar had gehoord en dat ze het afschuwelijk had gevonden! 'Wie is dat in hemelsnaam?' zou ze tot mama's grote schaamte hebben gevraagd, met haar handen tegen haar oren. Jade zou beleefd zijn opgestaan en voor het optreden in het TDS hebben gepast.

'Het lied dat jij zong, is toch van Jade?' vroeg mam.
Sterre knikte.
'Ik ga het morgen zingen bij de audities voor de musical.'
'Moet je zeker doen. Het klonk hartstikke goed,' zei vader plagerig. 'In de coulissen in ieder geval wel.'

Met de lippenstift van haar moeder stiftte Sterre haar lippen extra dik. Daarna drukte ze hard een zoen op haar spiegel. Naast Sing Sing Sing! Aan beide kanten een. Precies zoals ze het gisteren al had bedacht. Het ging prima, met lippenstift op een spiegel schrijven en zoenen! Met een doekje veegde ze rest van de lippenstift weer van haar lippen.
Het experiment had haar even afgeleid, maar nu waren de zenuwen weer terug. Haar handen trilden en waren ijskoud. Vreselijk. Was het alvast maar drie uur. Dan waren de audities geweest, de rollen verdeeld en was alles achter de rug. Ze zuchtte diep. Beneden ging de bel.
'Ik doe wel open!' riep ze en sprong met twee treden tegelijk de trappen af.
In het halletje tussen hun woonhuis en het theater hingen de muren van de grond tot aan het plafond vol met theaterposters. Van musici, cabaretiers, actrices, zangers en nog veel meer. 'Goeiemorgen allemaal,' zei Sterre zachtjes. 'Duimen jullie straks voor me?'

'Goedemorgen, jongedame,' leek een pianist op een van de posters te antwoorden.
'Duimen?' zei een piepjonge cabaretier. 'Daar ben ik eindelijk net vanaf!'

Sterre liep door naar de entree van het theater en schoof het

dikke fluwelen gordijn voor de voordeuren opzij. Aan de andere kant van de glazen deuren stond Doreen. Ze had kringen onder haar ogen.
'Hé, Do! Gaat het wel?'
Doreen knikte. 'Kijk! Een cadeau voor je nieuwe kamer.' Ze gaf Sterre een groot, zwaar pak.
'Wat lief van je! Kom mee, dan laat ik 'm zien!'
'Kijk eens naar het plafond,' zei Sterre in haar kamer en wees naar de spotlights.
'Mooi! En die spiegel hangt daar ook gaaf! Is dat lippenstift?'
Sterre peuterde het inpakpapier open. Haar mond viel open van verbazing.
'Wow!'
Doreen beet op haar lip. 'Ik kon vannacht niet slapen. Toen heb ik al die foto's van jou en mij opgezocht op de computer en uitgeprint en nou ja, je ziet het. In een lijstje geplakt.'
'Noem dat maar een lijstje! Het is een enorme lijst! Heb je de rand zelf beschilderd?'
'Ja. Volgens mij heb ik kleur goed gegokt.' Doreen grijnsde.
'Perfect!' zei Sterre. 'Op deze foto zaten we in groep 5. Dat weet ik nog.' Ze wees naar een fotootje links onder in de lijst. Met een gekke bek spongen ze op de trampoline in de achtertuin bij Doreen.
'We deden de hele middag De Salto Van Geluk,' grinnikte Doreen.
'Ik kwam telkens plat om mijn rug terecht,' giechelde Sterre.
'Toen waren we al best friends.'

'Ik wil zo graag die rol met de zangsolo,' zei Doreen. Ze renden naar school. 'Echt heel, heel graag. Ik wil hem liever dan wat dan ook.'
'Liever dan later wereldberoemd worden?' vroeg Sterre hij-

gend. Je kon aan Doreens tempo niet merken dat ze gisteren ziek was geweest!
'Weet ik veel,' zei Doreen. 'Dat duurt nog zo lang. Ik leef nu.'
Sterre stopte. '"Ik leef nu?" Ben je aan het ijlen? Heb je een nieuw soort griepvirus te pakken? Toch geen plankenkoorts?'
Ze hoorde Doreen een paar meter voor haar lachen en ging er weer puffend achteraan. De zenuwen waren van haar koude handen via haar buik door haar benen geglibberd en zorgden nu, als een eng soort kleefpasta onder de zolen van haar sneakers, dat ze haast niet vooruit kwam. Zenuwen waren slecht voor je conditie, bedacht ze.

De hele klas wachtte in de hal bij het podium op de meester. Marit stond apart. Doreen ging tussen haar en de andere meiden in staan. Ze deden stemoefeningen en hadden de grootste lol. Iedereen leek relaxed. Alsof ze allemaal zeker wisten dat ze perfect auditie zouden gaan doen. Zonder een spatje moeite.
Sterre had het gevoel alsof er een stapel bakstenen in haar lijf was neergeploft. Haar benen en armen leken gevuld met smurrie, haar maag krampte en haar hoofd voelde zwaar. Zo meteen zou ze in haar eentje het podium op moeten om dat nummer van Jade te zingen. Wat een ellende. Het gonsde, bromde en bonkte achter haar slapen.
Ik kan het niet.
Ik doe het niet.
Ik ben niet goed genoeg.
Als verdoofd bleef ze staan. Doreen liep, nee huppelde, nee danste bijna naar het podium. Marit dribbelde achter haar aan, keek even Sterres kant op, sloeg haar arm om Doreen heen en fluisterde iets in haar oor. Daarna lachte ze hard. Sterre zag het wel. Maar ze kon niets doen. Marits luide lach en haar eigen zenuwen waren sterker dan zij en hielden haar stevig vast op de plek waar ze stond.

Meester Marius kwam binnen en klapte in zijn handen. 'Dames en heren, iedereen van het podium af! We gaan beginnen!' riep hij en viste zijn leesbrilletje uit het zakje van zijn overhemd. 'Ik ga ginds zitten.' Hij wees naar de deur achter in de hal. 'Daar moet je tijdens de voorstellingen per slot van rekening ook verstaanbaar zijn.' Met een notitieblok en een pen in zijn handen liep hij erheen. 'Jullie weten nog wel hoe we het hadden afgesproken, hè? Je mag kiezen of je met je tekstboek in je handen een paar regels tekst opzegt uit Sing Sing Sing! en een stukje zingt van het lied dat we vrijdag hebben geoefend. Je mag ook een eigen stukje doen. Als je dat laatste doet, zeg dan van tevoren even duidelijk wat je gaat doen. Wie begint?' Turend over de rand van zijn brilletje keek hij de klas aan.
Hij leek zo wel een jurylid van een of andere talentenjacht op tv, vond Sterre. Gruwelijk! Kon ze maar thuis in haar eigen nieuwe slaapkamer met de deur dicht voor de spiegel auditie doen. Dat was al moeilijk genoeg.
Ze beet op haar paardenstaart. Doe niet zo debiel, dacht ze. Concentreer je! Het enige wat je zo meteen moet doen, is dat lied van Jade zingen zoals je dat gisteren deed. Verder niets. Ze klappertandde.
Doreen was al opgesprongen. 'Ik wil wel!' riep ze en ze rende naar het podium toe. Ze had ineens kleur op haar wangen, zag Sterre. Haar ogen schitterden. Ze had er overduidelijk zin in.

'Ik ga een stukje doen uit Mary Poppins,' zei ze. 'Met dans, als je dat goed vindt, mees.'
De meester knikte bewonderend en Doreen begon. Het was muisstil. Met open monden zaten de andere kinderen te kijken en ook Sterre was stomverbaasd. Ze wist dat Doreen goed was, maar dit was... dit was perfect. Als zij de rol met de zangsolo niet krijgt, eet ik mijn schoen op, dacht Sterre.
Na afloop kreeg Doreen een knalhard applaus. Glunderend liep ze het podium af, en plofte naast Sterre op een stoel. 'Nu jij?' vroeg ze.
Sterre schudde haar hoofd. 'Ik moet plassen.'
Met haar broek nog aan ging ze op de deksel van een van de wc's zitten. Ze was misselijk. Ze hoorde haar klasgenoten hun audities doen. Ze deden allemaal een stukje uit Sing Sing Sing!, behalve Joris. Die zong een lied uit de musical Grease. Sterre telde ze allemaal en toen ze zeker wist dat zij de enige was die nog geen auditie had gedaan, zuchtte ze diep en ging weer terug naar de aula.
Over de rand van zijn bril keek meester Marius haar vriendelijk aan.
'Jouw beurt, Sterre,' zei hij. 'Last but not least!'
Ze keek strak naar de grond terwijl ze naar het podium toe liep. Haar knieën knikten.
Ik kan het niet.
Ik doe het niet.
Ik ben niet goed genoeg, klonk het in haar hoofd. Bij elke stap opnieuw, die drie zinnen.
Ik kan het niet.
Ik doe het niet.
Ik ben niet goed genoeg.
Ze stapte het podium op alsof ze een berg beklom. Duizelig keek ze over iedereen heen naar meester Marius. Waarom zei

hij niet dat ze geen auditie hoefde te doen? Het zou haar toch niet lukken. Ze kon nu niet eens normaal ademhalen, laat staan zuiver zingen.
De meester scheen alle tijd van de wereld te hebben. Hij knikte haar bemoedigend toe. De rest van de klas begon te roezemoezen. Wanhopig zocht Sterre met haar ogen naar Doreen. Zij moest haar nu helpen, zoals ze dat zo vaak had gedaan. Zij moest tegen de meester zeggen dat ze geen auditie kon doen. 'Kijk dan, mees! Je ziet toch aan Sterre dat het echt niet gaat?'
Maar Doreen zag haar niet. Ze was druk in gesprek met Marit, die naast haar was gaan zitten. Op de stoel waar Sterre had gezeten toen zij auditie deed.
Bevend als een rietje begon ze te zingen.
Ze vergat van tevoren te zeggen dat het een lied van Jade was.
De eerste regel was te laag.
In de tweede zat een gekke bibber.
Bij de derde haalde ze te hoog uit.
De vierde was vals.
De vijfde ging aardig.
De rest ook.
Toen ze eindelijk klaar was, klapte de meester in zijn handen. 'Bravo, Sterre! Goed gedaan! In het Engels nog wel!'
Met een gevoel alsof ze in een adem een hele opera had gezongen, ging Sterre het podium af, meteen weer naar de wc's. Er was gelukkig niemand. Ze leunde op de wasbak en probeerde zich te concentreren op haar ademhaling. Wat een drama was die auditie. Een regelrechte ramp!
De deur ging open. Doreen kwam binnen.
'Ster? Je zong goed, joh.'
Sterre haalde haar schouders op. 'Dat zeg je alleen om mij te troosten.'
'Nietes!'

‘Kom je, Do?’ Dat was Marit. ‘De meester zegt dat we naar het lokaal moeten.’
‘Kop op, Ster,’ zei Doreen. ‘Zie ik je zo?’ Zachtjes deed ze de deur achter zich dicht.
Sterre voelde haar handen trillen. Relax, zei ze tegen zichzelf. Inderdaad, kop op. De audities zijn voorbij. Doreen was veel beter, dus vergeet de rol met de zangsolo. Vergeet het.

'Zullen we naar buiten gaan?' vroeg Doreen.
'Oké.'
Het was pauze. Daarna zou de meester de rollen gaan verdelen. Marit kwam naar hun tafeltje toe. Ze legde haar hand op Doreens arm.
'Mag ik mee?' fleemde ze.
Getver, dacht Sterre.
'Ik ga nog even naar de wc,' mompelde ze.
'Alweer?' zei Marit. Het klonk gemeen.
'Het is anders heel gezond, hoor, om regelmatig naar de wc te gaan. Beter dan de hele dag je pies ophouden, omdat de wc op school niet zo schoon is al thuis. Dat doe jij toch altijd?' antwoordde Doreen vriendelijk-maar-niet-heus. Ze knipoogde naar Sterre. 'Tot zo.'
Sterre trok haar mondhoeken omhoog. Doreen zou haar altijd verdedigen, dat was lief. Toch lukte echt lachen niet. Want kijk, daar ging haar beste vriendin naar buiten. Met Marit, een vwo-advies en vast en zeker een zangsolo.

Alle meiden uit de klas zaten op het schoolplein tegen het schoolhek in de zon. Sterre ging erbij zitten. De zon scheen lekker warm op haar gezicht, maar toch rilde ze. Ze sloot haar ogen en luisterde. Er werd druk gekletst over de audities. Doreen kreeg veel complimenten. Iedereen dacht dat zij de rol

met de zangsolo zou krijgen. Logisch. Zijzelf zou een klein rolletje krijgen en dat was ook logisch.
Ze dacht aan een paar weken geleden, toen ze de uitslag van de Cito op school hadden gekregen en ze die thuis moest vertellen.
Haar moeder had taart gekocht en al haar afspraken voor die middag afgezegd. 'Om te vieren dat ik zo'n knap kind heb,' had ze gezegd.
'Je kunt die taart beter terugbrengen naar de bakker,' zei Sterre. Ze gaf moeder de brief waarin haar score stond. Snel liet moeder haar ogen over de regels gaan. Haar mond zakte open. 'Ster!' riep ze uit. Het had verbaasd en opgelucht tegelijk geklonken.
Sterre voelde de tranen achter haar ogen branden. 'Ik zei toch al...'
'Een havo-advies?'
Sterre knikte. Ze had haar moeder niet aan durven kijken.
'Havo-advies! Daarmee kun je later naar een kunstopleiding, wist je dat? Klasse, Ster!'
Mam had haar stevig tegen zich aangedrukt en haar een paar ferme klapzoenen gegeven. 'Gefeliciteerd! Ga ervoor, schat!'
Sterre kon geen woord uitbrengen.
'Wat is er nou?' had haar moeder gevraagd.
'Doreen,' piepte ze.
'Hoeveel punten had Doreen?'
'550.'
'550? Dus de maximale score? Perfect, zeg!'
Klopt, had Sterre gedacht. 550 punten is perfect. Dus we komen niet bij elkaar in de klas.
En dat is mijn schuld.
Ik kan het niet.
Ik ben niet goed genoeg.

'Naar binnen allemaal!' De stem van de meester schalde over het schoolplein. Met veel geduw en getrek liep iedereen de trap op naar het lokaal. Doreen en Sterre gingen samen naar binnen. Doreen gaapte. 'Ik ben ineens zo moe,' zei ze. 'Ik kan niet meer.'
'Ik zie het,' zei Sterre.
'En jij dan? Heb je het koud?'
'Ja. Nee. Ik voel me prima.' Ik ben alleen niet goed genoeg, dacht ze. Niet voor het vwo en ook niet voor een grote rol. Ze voelde zich beroerd.
Toen iedereen op zijn stoel zat, begon de meester te vertellen. 'Ik vond de audities super,' zei hij. 'Sommigen van jullie hebben een stem die klinkt als een klok. Anderen zijn weer heel grappig, of kunnen iets anders heel goed. Zingen in het Engels, bijvoorbeeld, of dansen. Het aller knapst vind ik toch wel dat jullie het allemaal gedurfd hebben, zo in je eentje op dat podium staan. Formidabel!'
Hij pakte zijn notitieblokje uit de zak van zijn overhemd en zijn pen. 'Hé, dat is vreemd. Mijn leesbril zit er niet in. Ik dacht toch echt, dat ik die... Zou ik 'm in de hal hebben laten liggen? Nou ja, ik weet het ook wel zo ongeveer uit mijn hoofd. Zoals jullie weten zijn er twee grote rollen te verdelen. Daarnaast zijn er nog een heleboel andere rollen, sommige met wat meer, andere met wat minder tekst. Degenen die straks een rol krijgen met wat minder tekst, hoeven niet bang te zijn dat ze weinig op het podium te zien zijn tijdens de musical. Het is juist de bedoeling dat er de hele voorstelling door zoveel mogelijk leerlingen op het podium zijn. Begrijpen jullie dat?'
Iedereen knikte.
'Mooi. Dan begin ik met de meisjesrol met zangsolo. Jola, heet ze in de musical. Het was voor mij verschrikkelijk moeilijk om te beslissen wie in deze klas Jola zou worden. Zoals ik al zei,

sommigen van jullie zingen als een nachtegaal en er zijn dus meer geschikte kandidaten. Maar goed, ik moest kiezen. En daarom gaat de rol van Jola gespeeld worden doorrrrrrr...' Hij pauzeerde even, tuurde in zijn notitieblokje en keek toen de klas rond.
'Pleasepleaseplease,' fluisterde Doreen zachtjes. 'Ik moet die rol! Het moet! Het moet! Het moet!'
Sterre dacht aan het laatste deel van het lied dat ze had gezongen. Dat was redelijk gegaan. De meester had zelfs voor haar geapplaudisseerd. Zou hij het kunnen dat hij dan toch...? Vast niet. Tenzij hij haar laatste noten echt heel goed had gevonden, maar die kans was heel...
'Doreen.'
Pats! Sterres hart leek uit elkaar te spatten als een discobol die in ontelbaar veel scherfjes op de grond kapot valt. Ze keek naar Doreen die opgesprongen was uit haar stoel en gilde: 'Echt?! Oh, ik kan het niet geloven! Yes! Wat zal m'n moeder blij zijn!' Ze omhelsde Sterre. 'Gaaf hè?'
'Nou,' zei Sterre. 'Gefeliciteerd Do. Ik ben blij voor je.'
Dat was niet waar. Ze was niet blij voor haar beste vriendin. Ze wilde weg. Verdwijnen. In rook opgaan. Oplossen in het niets. Nergens meer aan denken en niets meer voelen.

Toen om drie uur eindelijk de bel ging, zei Doreen: 'Ik moet eerst even alleen naar huis, Ster. Sorry. Maar over een uurtje kan ik wel afspreken. Zullen we dan in je nieuwe kamer gaan oefenen voor de musical?'
'Ik kan niet,' zei Sterre. Weer een leugen.

Zo vlug als ze kon, ging Sterre naar de dijk. Hijgend rende ze naar boven en sloeg linksaf. Beneden, aan de andere kant, iets voorbij de bocht, was de haven. Daar wilde ze heen. Even zitten op een bankje en dan helemaal niks, niemand, noppes, nada.
'Ha! Ha!' riepen de meeuwen. Het leek alsof ze haar uitlachten. 'Je hebt de zangsolo niet, haha! Eigen schuld, dikke bult!'
Rotvogels. Sterre ritste haar jas dicht en zette haar kraag op. Het begon te waaien en het werd fris. Ze vond het niet erg. De wind mocht al haar nare gedachten meenemen. Hup, het water op, naar zee, naar nergens. Weg!
Met langzame passen liep ze langs de bootjes naar een bankje. Ze ging boven op de rugleuning zitten. Ontspan, dacht ze. Ontspan nou eens een keer. Ze wreef haar koude handen tegen elkaar om ze te warmen en ademde een paar keer diep in en uit. Ondertussen bleven de gedachten door haar hoofd kolken:
Ik wist wel dat ik het niet kon.
Anderen zijn overal beter in dan ik, vooral Doreen.
Ik loog tegen haar.
Pap en mam zullen het heel erg jammer vinden dat ik de rol met de zangsolo niet heb.

Ze zullen teleurgesteld zijn.
Ik ben altijd overal te zenuwachtig voor en eigenlijk kan ik niks en wil ik dit allemaal wel?
Iets fijns om aan te denken, kon ze niet verzinnen. Wat ze ook probeerde, telkens weer kwam ze uit bij Doreen, het vwo, de musical en haar ouders. Hoe zouden ze reageren, als ze het straks thuis zou vertellen?
'Pap en mam, ik heb een bijrol zonder zangsolo.'
'Dat kan toch niet,' zou haar moeder verontwaardigd zeggen. Vader zou haar medelijdend aankijken.
'Ik ben zangeres in het achtergrondkoortje. Ik zing mee in vier liedjes, ik moet vier zinnetjes alleen zeggen en vier tegelijkertijd met nog wat anderen.'
'Ik ga er onmiddellijk met de meester over bellen. Ik denk dat hij de rolverdeling nog wel kan aanpassen,' zou mam zeggen.
'Je moet maar zo denken, Jade is ook ooit in het achtergrondkoortje van een geflopte artiest begonnen. Nu is ze vijfentwintig en heeft ze al drie cd's uitgebracht. Ik zou dus ontspannen genieten van dat rolletje als ik jou was, want sterrenstatus is een vermoeiende status!' Dat zou typisch een opmerking zijn voor haar vader. Hij probeerde altijd overal een grapje van te maken. Dit is geen grap, pap!

Sterre voelde tranen opkomen, sloot haar ogen en begon te neuriën. Soms hielp dat.
'C...c...cool,' zei plotseling een jongensstem naast haar.
Sterre schrok zo erg, dat ze bijna achterover viel.
'P...pas op!' even voelde ze een hand op haar bovenarm om haar tegen te houden. 'Sssorry.'
'Geeft niks,' mompelde Sterre. Voorzichtig keek ze naast zich. De jongen droeg een zwarte gebreide muts. Zijn haar piekte eronder uit. Hij had prachtige bruine ogen.

Een seconde kreeg Sterre het warm en koud tegelijk.
'Sssorry.'
Sterre wist niet wat ze moest zeggen.
'Mmmmag ik?'
Ze knikte.
De jongen ging naast haar zitten en zette een grote koffer tussen zijn benen. Het was een koffer voor een gitaar, zag Sterre. Hij zei niks, keek recht voor zich uit en af en toe opzij naar haar.
Wat een hunk! dacht Sterre. Een hunk die stottert. Ze moest er om grinniken. Stom. 'Sorry,' mompelde ze.
Vragend keek de jongen haar aan.
'Laat maar,' zei ze vlug. Ze voelde dat ze bloosde.
De jongen klikte zijn koffer open en pakte er een zwarte gitaar uit. Weer keek hij vragend naar Sterre. 'Oké?'
Ze knikte.
De jongen pakte zijn gitaar uit de koffer en tokkelde wat. 'Ik b...b...ben Jim,' zei hij.
'Ik heet Sterre.'
Jim deed zijn ogen dicht en begon te spelen.
Hij is wel stoer, dacht Sterre. Hij speelt gitaar voor me, maar hij kent me niet eens. Jammer dat hij zijn ogen dicht heeft. Als ik durf, moet ik hem straks nog even aankijken.
'K...k...ken je dit?' vroeg Jim. Hij deed zijn ogen open en keek haar even aan voordat hij begon te spelen.
Oei oei die ogen! dacht Sterre.
De melodie herkende ze meteen. Het was het nummer van Jade dat ze vanochtend in de aula had gezongen.
'Dat is mijn lievelingslied!'
Jim grijnsde en speelde nog een nummer van Jade. En nog een. Sterre knikte en knikte. 'Ik ken ze allemaal. Ik ben een fan van Jade.'

‘I...i...ik ook.’ Jim deed zijn gitaar weer in de koffer en staarde over het water. ‘I...i...ik mmmmoet weg.’
‘Waar moet je naartoe?’ vroeg Sterre.
‘Ggggitaarles.’ Jim zuchtte.
‘Gaaf!’
Jim haalde zijn schouders op.
Hij stond op en zwaaide de koffer over zijn schouder. Hij stak zijn hand op en liep naar de dijk. ‘D...d...dag St...Ster...’
‘Ster is goed,’ zei Sterre.
Jim leek opgelucht. ‘Later!’
‘Later!’ Sterre keek hem na tot hij verdwenen was aan de andere kant van de dijk. Haar zware, verdrietige gevoel was verdwenen. Ze had zin om heel hard te zingen.

In een flits bedacht Sterre dat meester Marius zich misschien vergist had. Hij had de rollen verdeeld zonder dat hij zijn leesbril op had. Het was dus mogelijk dat hij de namen verkeerd gelezen of onthouden had. Hij had ook gezegd dat het erg moeilijk was geweest om de juiste keuze te maken en dat er meerdere geschikte kandidaten waren. En hij had voor haar geapplaudisseerd toen ze klaar was met zingen. Niet voor de anderen. Misschien, heel misschien, had hij haar de rol van Jola willen geven en niet Doreen. Dan zou hij morgenochtend vast en zeker zijn fout herstellen en de rollen opnieuw verdelen.
'Sorry, dames en heren, voor deze wazige toestand,' zou hij zeggen. 'Ik wil graag dat Sterre en Doreen van rol ruilen. Het spijt me dat het zo moet lopen.' Zoiets zou heel misschien kunnen. Heel, heel, heel misschien.
Sterre zuchtte. Ze hoopte maar dat pap en mam niet naar de audities zouden vragen. Ze liep het marktplein op. Aan weerszijden van de dubbele voordeuren van het theater stonden grote bloembakken vol tulpen in alle kleuren. Er hingen nieuwe posters aan de gevel van artiesten die binnenkort zouden komen optreden. Hing de poster van Jade er al? Nee, die zag ze nog niet. De deuren zaten op slot, dus ze belde aan.
Vader deed open. 'Dag Sterretje. Wat zie je er vrolijk uit. Ga maar vast naar boven, ik ben nog even bezig met wat lichtka-

bels. Die moeten voor zeven uur vanavond goed hangen. Mam zit al aan tafel.'
De posters in de gang keken haar nieuwsgierig aan.

'Verliefd?' leek een knipogende actrice met grote borsten te vragen.
'Iets verzwijgen is ook liegen, jongedame,' sprak de statige pianist.

Sterre liep zo snel mogelijk naar boven.

'En?' vroeg moeder direct toen ze de keuken in kwam. 'O, ik zie het al aan je ogen, Ster. Wat leuk, wat leuk!' Ze schepte het eten op en ze gingen aan tafel.
'Wat, wat leuk?'
'De hoofdrol, natuurlijk! Eet smakelijk.'
'Die is er niet, zei ik toch.'
'Nee, maar die rol met die zangsolo, bedoel ik.'
'Waarom hangt er eigenlijk nog geen poster van Jade buiten?' vroeg Sterre.
'Die wordt nog gemaakt,' zei moeder. 'Volgende week hebben we hem in huis. Luister Ster, ik heb vanochtend een leuk plan bedacht. Als ik straks tijd heb, ga ik er meester Marius over bellen. Wat zou je ervan vinden als we de première van de eindmusical hier organiseren?' Stralend keek ze Sterre aan. 'Leuk hè?'
Sterre deed haar best om enthousiast te knikken. Het lukte niet.
'Wat kijk je verschrikt,' zei haar moeder. 'Het is toch geweldig? Dan leggen we buiten de rode loper uit. Voor je klasgenoten lijkt het me ook een hele ervaring om eens achter de schermen van een theater te kunnen kijken en op een echt podium te kunnen staan. Misschien kunnen we zelfs wel een paar journalisten van de krant uitno...'

Ho stop! dacht Sterre en ze zei het ook: 'Ho, stop!'
'Pardon?'
'Ik bedoel, je kunt de meester straks niet bellen, want... hij heeft vanavond een vergadering.' Stel je voor zeg, dat haar moeder de meester aan de telefoon kreeg!
'Dus die posters heb je pas woensdag. Wanneer komt Jade dan eigenlijk optreden?' vroeg ze om mam weer af te leiden.
'Over een paar weken. Ze wil drie try-outs geven voor haar nieuwe album.'
'Gaaf! Ik mag dan kijken, toch?'
'Als er plaatsen over zijn, schat. Vertel nu eens even wat meer over vandaag. Ik ben ontzettend benieuwd.'
'Nou eh... de audities waren... wel leuk. Het verhaal van de musical had ik al verteld. Een zanger en een zangeres lijken elkaars concurrenten, maar ze worden verliefd op elkaar.'
'Spannend, zeg! En welke jongen speelt de zanger op wie jij verliefd wordt?'
Sterre verslikte zich. Haar moeder dacht echt dat ze de rol met de zangsolo had! Hoe kon dat nou? Dat had ze toch niet gezegd, of wel soms?
'Joris.'
'Ster, wat leuk! Ik ben trots op je, knap kind,' zei moeder.
Pap kwam de keuken in. Mam vertelde in geuren en kleuren dat Sterre de rol met de zangsolo had en over haar ideeën voor de première.
Vader mijmerde over blacklight op het podium, special effects en discoballen in het decor en moeder bedacht dat ze ook de burgemeester wel kon uitnodigen.
Sterre zweeg. Ze durfde niets meer te zeggen.
De telefoon ging.
'Zullen we ook een artiest vragen voor het voorprogramma,' fantaseerde mam, terwijl ze naar de vensterbank reikte.

'Hebben jullie een schoolband, Sterre?' Ze vond de telefoon en nam op. 'Hai Doreen! Alles goed? Wat voor rol heb jij gekregen in de musi...'
Voor haar moeder de vraag kon afmaken, griste Sterre de telefoon uit haar handen en vloog ermee de trap op naar haar kamer. 'Ik heb al genoeg gegeten en ik ruim straks de tafel wel af!' riep ze nog naar beneden.
'Ha Do.'
'Ha Ster.'
'Wat is er? Waarom bel je?'
'Ik eh... hangt de fotolijst al boven je bed?'
'Ja. Ja hoor.' Alweer een leugen! 'Was dat het?'
'Eh, nou kijk. Het is eigenlijk geheim, maar ik wil...'
Plotseling zei een klein stemmetje in Sterres hoofd dat Doreen de rol met de zangsolo misschien wel niet meer wilde. Omdat ze vanochtend gezien had hoe graag Sterre hem ook wilde. En dat ze daarom haar eigen rol nu aan haar allerbeste vriendin gunde, zoals ze dat altijd met alles deed. ('Wil je m'n laatste dropje? Wil je in het midden zitten? Wil je nog even op de trampoline? Wil je mijn nieuwe T-shirt lenen? Mag wel, hoor!' Zo was Doreen).
'Bedoel je...?' vroeg Sterre.
'Ja, je bent mijn allerbeste vriendin en...'
'Do! Meen je dat echt?'
'Tuurlijk, pannenkoek! Hoelang kennen we elkaar nu al? Ik vind... oh, wacht even. M'n moeder roept...'
Sterre hoorde dat Doreen haar hand over de hoorn legde en smoesde met haar moeder.
'Dat doe ik ook niet,' hoorde ze haar zeggen en 'je kent me toch, mam. Ga nou maar.'
Die Doreen. Sterre had soms het gevoel dat ze haar vriendin beter kende dan zichzelf. Maar wat ze nu voor haar over had, was wel super bijzonder.

'Daar ben ik weer,' fluisterde Doreen. 'Wat ik je eigenlijk wilde vertellen is...'
'Ik snap het al, Ster. Je bent de allergrootste lieverd op aarde!' Sterres hart maakte een huppeltje. Haar allerbeste vriendin was nog veel liever dan ze ooit had kunnen denken!
'Wat bedoel je?'
'Nou, gewoon. Dat je tof bent, Do! Ik had onwijs last van plankenkoorts bij de audities vanochtend. Daarom ging het in het begin zo slecht. Maar de rest...'
'Ging toch prima?'
'Beter, in ieder geval. Ik weet dat jij ook megagraag Jola wilde zijn. Ik vind het super van je dat je je rol afstaat. Thanks, BFF!'
Ze hoorde op de achtergrond Doreens vader roepen: 'Ik ben weer thui-huis! Doreen, wil jij even de tafel dekken?'
'O jee,' zei Doreen. 'Ik moet ophangen. Doeg!'
'Tot morgen!' riep Sterre. Leg de rode loper maar vast uit, mam, dacht ze.

Repeteren

'Het is zover, jongelui! Vandaag gaan we repeteren voor de musical! Neem je tekstboekje erbij, we starten op pagina 8 bovenaan. Ik wil graag beide achtergrondkoortjes op het podium hebben, dus de anderen moeten een beetje opschuiven. Verspreid je maar een beetje.'
Meester Marius dronk een slok koffie, terwijl hij wachtte totdat iedereen een plekje had gevonden.
Sterre was nerveus. Als haar fantasietje klopte, zou de meester nu toch moeten gaan zeggen dat hij zich had vergist. Dat zij Jola zou moeten spelen en niet Doreen.
Doreen had haar vanochtend gebeld dat ze zich had verslapen en dat ze Sterre niet zou komen ophalen. Ze kwam net binnen.
'Goedemorgen, Jola,' zei de meester met een grijns tegen haar.
Sterre verstrakte. Als de meester Doreen nu Jola noemde, betekende dat...
'Gaat het wel goed met je?' vroeg de meester aan Doreen.
Ze knikte en gaf de hem een briefje. Ze had nog steeds kringen onder haar ogen, zag Sterre. Meester Marius vouwde het briefje open en las het. 'Dank je wel. Ik zal straks even naar je ouders bellen,' zei hij ernstig.
Sterre kreeg weer hoop. De moeder van Doreen had misschien in een brief uitgelegd dat Doreen liever niet meer de rol met de zangsolo wilde. Daar was de meester nu niet op voorbereid.

Dan zouden ze morgen kunnen ruilen. Ook goed, dacht Sterre. Relax! Ik doe vandaag gewoon alsof er niets aan de hand is.
In de pauze liep Sterre samen met Doreen naar buiten. Marit kwam achter hen aan.
'Haaaai! Mag ik meedoen?'
Doreen haalde haar schouders op, dus dat deed Sterre ook maar. Eigenlijk wilde ze haar vertellen over Jim. Met Marit erbij had ze daar geen zin meer in.
'Nog even over wat je gisteren aan de telefoon zei,' begon Doreen.
'Dat komt morgen wel, joh,' zei Sterre vlug.
'Watte?' vroeg Marit.
'Niks,' zei Sterre.
Doreen knikte. 'Laat maar.'
'Okee! Als jij het zegt,' zei Marit tegen Doreen.
'Zullen we vanmiddag bij jou oefenen, Ster? In je nieuwe kamer?' vroeg Doreen.
'Ja leuk!' riep Marit. 'Ik doe mee!'
'Ik kan vanmiddag niet,' zei Sterre. 'Sorry.' Dat laatste meende ze wel. Doreen keek alleen zo vreselijk ongelukkig, dat ze er bijna buikpijn van kreeg.
'Wat ga je dan doen?' vroeg Doreen.
'Ik eh... met m'n moeder naar de groothandel. Hapjes halen voor...' Sterre kreeg het benauwd. Ze kon niets bedenken.
'Nou? Waarvoor?' vroeg Marit. Het leek alsof ze dwars door Sterre heen keek.
'Voor... de try-outs van Jade!'
'Maar bij een try-out worden toch geen hapjes geserveerd?' vroeg Doreen verbaasd.
'Klopt, maarre... Jade wilde het graag zo. Dus dat regelen we.' Sterre probeerde net zo zelfverzekerd en zakelijk te klinken als haar moeder.

'Te gek!' riep Doreen. 'Een try-out met hapjes! Ik mag komen kijken, toch?'
Sterre knikte. 'Ik moet het nog wel even regelen.' Dat was de waarheid.
'Gaaf. Ik kan wel een leuk avondje gebruiken.'
'Do, als Sterre niet kan vanmiddag, kan ik wel, hoor,' zei Marit. 'Zullen we bij mij thuis gaan oefenen?'
Doreen keek bedenkelijk.
'Tof! Mijn moeder vindt het ook gezellig als ik een vriendin meeneem. Je mag vast ook blijven eten.' Marit gaf Doreen een knuffel en kneep haar bijna fijn. Doreen knuffelde nooit, dus nu ook niet.

'Daar is mijn eigen Ster,' zei mam. Ze zat in de keuken aan tafel met haar laptop en haar telefoon. En een stuk of vijf lege koffiemokken en een bord vol kruimels en sinaasappelschillen.
'Neem een broodje, schat. Was het leuk op school?'
'Hm,' zei Sterre. 'Je hoeft toch niet voor elk kopje koffie een nieuwe beker te pakken, mam?'
Ze zette de koffiemokken en het bord op het aanrecht. De sinaasappelschillen gooide ze in de vuilnisemmer. Ze smeerde een broodje en ging aan tafel zitten. Honger had ze niet. Ze wilde zo snel mogelijk naar de haven. Dat was tenminste leuk.
'Je hebt gelijk,' zei moeder. 'Ik bof maar met jou. Je bent niet alleen slim en knap, je bent ook nog netjes! Er staat trouwens ook lekker vruchtensap in de koelkast.'
Sterre zuchtte. Ze stond op, nam het pak vruchtensap uit de koelkast en zocht in de kast naar het allerkleinste glaasje. Ze schonk het halfvol en dronk het in een teug leeg.
Moeder zag het en haalde even haar wenkbrauwen op.
'Wat heb je dan gedaan op school?' wilde ze weten.
'Gerepeteerd,' zei Sterre en ze wist meteen dat dat heel dom was.

Haar moeder sloeg haar hand voor haar mond en graaide naar haar mobiel. 'Oh, wat stom van me! Ik ben helemaal vergeten meester Marius te bellen. Ik ga het NU doen!'
'Hoezo?' vroeg Sterre. Ik moet een smoes bedenken, dacht ze. Mam mag de meester niet gaan bellen. N-I-E-T!
'Om te vertellen dat we hier de première gaan doen, natuurlijk!'
'Oh ja. Eh... dat kan niet. Ik bedoel, de meester heeft de hele middag vergadering. Over de groepsindeling van volgend jaar of zoiets. Morgen ook. De hele week nog, eigenlijk.'
'Weet je wat?' zei moeder. 'Ik mail hem straks. Dat is net zo gemakkelijk. Wat ga je doen vanmiddag?'
'Naar Doreen.' Wat ging liegen toch gemakkelijk! 'Ik ga nu. Tot straks!'
Vlug gaf ze moeder een zoen en liep naar beneden.

'Leugenaar!' zei een streng kijkende acteur op een poster in de hal.
'Ik word toch zo verdrietig van kindjes die jokken,' snifte een pierrot.

Het was gaan regenen. Tegen beter weten in liep Sterre naar de haven. Ze werd drijfnat. Het bankje waarop ze hem gisteren had ontmoet, was leeg. De andere bankjes ook. Jim was er niet. Ze draaide zich om en begon terug te lopen. Maar waarheen? Naar huis wilde ze niet. Dat zou ook te veel opvallen. Als ze naar Doreen ging, kwam ze nooit zo vroeg thuis. Eerder te laat. Ze zou nu best naar haar toe willen, trouwens. Maar ja, Doreen dacht dat ze met haar moeder naar de groothandel was, terwijl die nu waarschijnlijk thuis in de keuken meester Marius aan het mailen was. 'Beste Marius, Wat fantastisch dat je onze dochter de hoofdrol hebt gegeven! Wat zou je ervan vinden als we de premièrevoorstelling niet in de hal van de school zouden laten

plaatsvinden, maar bij ons, in de zaal van Tussen De Schuifdeuren? In de tweede en derde week van juni zijn de dinsdag- en vrijdagavond nog niet bezet, blablabla...' Of zoiets. Sterre slenterde naar de bibliotheek en bladerde door stripboeken zonder ook maar een tekstballonnetje te lezen, totdat het etenstijd was.

'Sterre!' zei de meester. 'Let eens op! Jij bent aan de beurt.'
Het was nu twee dagen geleden dat haar moeder meester Marius had gemaild, maar die e-mail had hij nog niet gelezen, dat was duidelijk.
Gelaten dreunde Sterre haar zinnetje op: 'Danny wint heus wel, hoor. Hij zingt vet goed.'
De meester zuchtte en rolde met zijn ogen. 'Luister, Sterre. Debby is tégen Jola en vóór Danny. Laat dat eens zien. Kom op, Debby!' zei hij streng. 'En kijk naar de zaal in plaats van in je tekstboek.'
Kom op, Debby, dreunde het in Sterres hoofd. Kom op, Debby.
Had de meester zich dan niet vergist toen hij de rollen verdeelde en had in het briefje van Doreens moeder dan niet gestaan dat Doreen de rol met de zangsolo aan Sterre wilde geven? Kennelijk niet.
Sterre probeerde de teleurstelling weg te stoppen. Weg! Concentratie! Ze was Debby en tégen Jola. Tegen Doreen dus. Dat moest ze onthouden. Met haar ogen strak op de muur achter in de aula gericht, zei ze haar zin nog een keer luid en duidelijk. De meester stak zijn duim op. Aan het einde van de volgende scène zong Doreen haar solo:

'O Danny, ik hou zo van Danny
Als ik je zié, dan denk ik wié
kan ooit zo lief zijn als jij.'

Het was niet goed.
Het was perfect.
Sterre zag hoe Doreen met een smachtende blik en haar handen gekruist voor haar borst zong over de zanger op wie ze verliefd was. Ze stelde zich voor hoeveel lol ze samen gehad zouden kunnen hebben als ze dit lied voor de spiegel in haar slaapkamer zouden zingen. Of beneden op het podium, als dat mocht. Ze zouden het natuurlijk in hun broek hebben gedaan van het lachen.
Doreen had vandaag nog niets tegen haar gezegd. En andersom ook niet. Sterre durfde niet. Ze wilde wel, maar ze durfde niet. Doreen zou haar vast knettergek vinden na die actie aan de telefoon. Logisch.
Toen Doreen klaar was, kreeg ze applaus van de hele klas.
'Jongelui, we gaan ermee stoppen,' zei de meester. 'Het was een goede repetitie, al mogen sommigen van jullie wel meer het lef krijgen om los te komen van hun tekstboek.' Met veel lawaai liepen ze even later met z'n allen de trap op naar het klaslokaal. Sterre liep helemaal achteraan.
Marit bleef staan bij de tafeltjes van Sterre en Doreen. 'Zullen we bij jou vanmiddag?' vroeg ze aan Doreen.
Even keek Doreen naar Sterre. 'Help!' zeiden haar ogen.
Ik kan je niet helpen, dacht Sterre. Aan mij heb je niks. Ik ben een liegende stresskip, verder niks. Ze draaide haar hoofd weg en keek naar buiten. Naar de dijk in de verte.
'Doe maar bij jou dan,' zei Doreen tegen Marit.
'Maar ik wil zo graag je kamer eens zien,' zeurde Marit. 'Jij hebt toch een hoogslaper?'

'Bij mij kan niet,' zei Doreen. 'Echt niet.'
'Het laatste kwartier van vandaag wil ik besteden aan tekenen,' zei de meester. 'De opdracht is: teken iets wat met de musical te maken heeft. Een scène, een personage, een decor... het maakt niet uit. Doe je best!'
'Ik ga het einde tekenen,' zei Doreen. 'Als we met z'n allen op het podium gaan staan om te buigen. En jij?'
'Ik weet het niet,' zei Sterre. 'Ik moet nog even nadenken.'
Doreen begon druk te schetsen.
Sterre tekende een zwierige groene S op papier. En een I, een N en een G. Haar gedachten dwaalden af.

Doreen was gisteren niet op school geweest. Aan de ene kant was Sterre daar blij om. Ze had er niet aan moeten denken de hele dag gebabbel over de musical aan te horen. Aan de andere kant begreep ze niet wat er met Doreen aan de hand was. Waarom kwam ze niet of te laat op school? Waarom zag ze er zo slecht uit? Alleen als het over Sing Sing Sing! ging, leek ze weer even de oude, met vrolijke ogen en rode wangen.
Misschien voelde ze zich nog steeds niet lekker, had Sterre bedacht. Misschien was ze echt ziek, maar probeerde ze zoveel mogelijk naar school te komen, omdat ze geen musicalrepetities wilde missen.
De avond ervoor had Sterre niet kunnen slapen. Rechtop in bed had ze alle foto's in de lijst bekeken die ze van Doreen had gekregen. Samen op de trampoline, samen meedoen met een karaokewedstrijd, samen op de skates, samen in de hoogslaper van Doreen tijdens een logeerpartijtje, samen in het zwembad in de zomer, samen...
Haar gedachten waren teruggegaan naar de laatste zomervakantie. Haar moeder was de oplader van haar telefoon vergeten, dus Sterre kon Doreen niet bellen. Daarom schreef ze haar

elke dag een kaart. Vijftien kaarten vanuit Spanje naar Doreen van Soest, Peperstraat 8. Doreen had precies hetzelfde gedaan, zonder dat ze dat hadden afgesproken. Toen ze thuiskwamen lagen er vijftien kaarten uit Tsjechië in de brievenbus. Voor Ster, van Do.
Ze had beneden de telefoon gehaald en een aantal keer het telefoonnummer van Doreen ingetoetst. Telkens verbrak ze de verbinding voordat er werd opgenomen.
Ik kan het niet, dacht ze.
Wat moet ik dan zeggen?
Wedden dat ze me gaat uitlachen?
Wedden dat ze boos wordt?
Wedden dat Marit haar beste vriendin wordt?
Ze voelde zich verdrietig, stom en schuldig en was pas ver na middernacht ingedommeld.

'Inleveren jongens, het is tijd!' riep de meester.
Sterre schrok op uit haar gedachten.
'Wat heb je gemaakt?' vroeg Doreen.
Sterre liet zien wat ze had getekend.
'Vet mooi, Ster! Trouwens, nog even over ons telefoongesprek... eh... Kunnen we echt niet afspreken?'
Sterre schudde haar hoofd. 'Sorry.'
Toen ging de bel.
'Tot morgen,' zei Sterre. Ze propte haar tekstboek in haar schooltas, wurmde zich achter Doreen en Marit langs en rende de trap af, naar buiten, het schoolplein over en linksaf de stoep op. Naar de haven.

Terwijl ze over de dijk liep, speurend naar Jim met zijn gitaar, zong Sterre zachtjes voor zich uit:

‘Hij is verliefd tot over zijn oren
Hij is verliefd, verliefd, verliefd
Hij is verliefd tot over zijn oren
Hij is verliefd, verliefd, verliefd.’

Het was het leukste liedje uit de musical, vond ze. Het swingde. Ze kende alle liedjes al uit haar hoofd. Ze had er niet haar best voor hoeven doen. Liedteksten kende ze altijd zó.

Opeens werd ze op haar schouder getikt. Ze draaide zich om. Jim! Hij zag er stoer uit in zijn skatebroek en met zijn muts. En zijn ogen...

‘Ha!’ Sjonge, dat kwam er ontzettend blij uit. Even dimmen, Ster, zei ze streng tegen zichzelf. Je lijkt Jola uit de musical wel!

Jim viste een telefoon uit zijn broekzak, typte wat en liet het Sterre zien:

Wat ga je doen?

‘Eh... niks bijzonders. Waarom praat je niet?’

Keelontsteking. Je zong?

‘Ja. Een liedje uit de eindmusical. Ik was op zoek naar een leeg bankje om even wat te repeteren.’ Niet waar! zei een klein stemmetje in haar hoofd. Niet waar! Je wilde hem zien. Je wilde hem zien! Maar ja, dat kon ze natuurlijk niet hardop zeggen...

'Doet het erg zeer?'
Jim haalde zijn schouders op.
Zit je pas in gr. 8?
Sterre schrok van die vraag. Jim keek er zo verbaasd bij.
'Ja.'
Ze voelde zich ineens suf, suffer, sufst. Een ontzettend sukkelig, dom, klein kind. Een onnozele kleuter. Ze wist niets meer te zeggen. Als Jim zei dat ze 'pas' in groep 8 zat, dan zat hij vast al op de middelbare en was hij dus ouder dan zij. Hoe je een gesprekje moest voeren met oudere jongens, wist Sterre niet. En hoe je een gesprekje moest voeren met een oudere jongen op wie je verliefd was al helemaal niet.
Klonk goed.
'Dank je.' Sterre probeerde onverschillig te klinken.
Ik had hfd.rol in musical, schreef Jim, vergat drie keer tekst tijdens uitvoering. Hij trok een ongelukkig gezicht.
+ Zong vals. Mijn ma was :-(
'Balen,' zei Sterre. 'Moeders zijn soms...' met haar wijsvingers trok ze haar mondhoeken omlaag.
Jim knikte en wees naar een bankje. Ze gingen zitten en hij typte verder.
M'n ma houdt heel erg van mzk. Jim = Jimi Hendrix, beroemde gitarist. Vandaar.
'Bedoel je dat ze jou naar hem vernoemd heeft?'
Jim knikte.
'Daarom speel je ook zo steengoed gitaar!' Sterre flapte het eruit en voelde dat ze bloosde. Van Jimi Hendrix had ze nog nooit gehoord, maar als hij beroemd was, zou hij ook wel goed zijn, toch?
Verwonderd keek Jim haar aan.
Mwa.
Even was het stil.

Moet naar bus, typte Jim toen. Mzkschool.
'Oké,' zei Sterre. 'Zal ik mee...'
Hij knikte.
Ze waren precies op tijd bij de halte.
Later!!! typte Jim nog gauw, voordat hij instapte. Hij stak zijn hand op.
'Later!' zei Sterre en stak ook haar hand op. Ze voelde zich gek. Iets tussen bibberig en lacherig in. Ze keek de bus na tot ze hem niet meer kon zien en zong zachtjes:
'Ik ben verliefd tot over mijn oren
Ik ben verliefd, verliefd, verliefd
Ik ben verliefd tot over mijn oren
Ik ben verliefd, verliefd, verliefd.'

'Haai Sterre! Sta je op de bus te wachten? Die is net weg, hoor.' Marit fietste voorbij.
'Weet ik,' zei Sterre.
'O, heb je iemand weggebracht. Wie?'
Alsof haar dat wat aanging!
'Eh... een artiest,' zei Sterre. Ze knipperde even met haar ogen. Hoe kwam ze daar nou weer bij?
'Een artiest die met de bus gaat?! Pfff, geloof het lekker zelf. Artiesten komen altijd met een limousine, of een taxi of zoiets. Dat weet ik heus wel,' snibde Marit.
'Jade niet,' zei Sterre zo kalm mogelijk.
'Jade? Heeft ze vanmiddag in het TDS opgetreden?'
'Nee, dat niet.' Sterre was opgelucht. Het was haar gelukt om Marit af te leiden van de bus.
'O, dan kwam ze zeker om haar contract te tekenen. En ze woont dus in de stad?'
'Geen idee, dat vertelde ze niet,' zei Sterre.
'Die bus gaat naar de stad, dus dan zal ze daar wel wonen. Toch?' redeneerde Marit.
'Had jij niet met Doreen afgesproken?' vroeg Sterre.
'Jawel, maar ze moest vroeg weg. Een iPhone kopen met haar vader.'
Sterres mond zakte open van verbazing. Tot voor kort had de

moeder van Doreen altijd beweerd dat haar dochter pas een eigen telefoon zou krijgen als ze naar de middelbare school zou gaan. Dat duurde nog een half jaar!
'Maar morgen na school gaan we weer samen naar mijn huis. Repeteren voor de musical. Ze mag ook blijven eten en we gaan naar een hele gave dansvoorstelling. Daarna blijft ze logeren,' ratelde Marit.
De verliefde kriebel in Sterres buik maakte plaats voor jaloers prikkeldraad.
'Fijn voor je,' zei ze bits en met grote stappen liep ze weg.

In het theater rook het naar koffie. Vanachter de bar klonk gerinkel. Pap was de koeling aan het bijvullen. Mam zat aan een tafeltje met een mevrouw die druk aan het schrijven was.
'Alle foto's die je hier in de foyer aan de wand ziet hangen,' hoorde Sterre haar moeder zeggen, 'zijn dus van artiesten die de afgelopen jaren hebben opgetreden. Het zijn allemaal grote namen, kan ik je vertellen. Internationale sterren. En binnenkort, nog dit voorjaar, komt daar,' ze wees naar een lege plek vlak bij de deuren naar de theaterzaal, 'een foto van Jade! Schrijf dat maar op!'
'U bedoelt,' zei de vrouw verbaasd, 'dat Jade hier komt optreden?'
'Inderdaad,' zei moeder trots. 'En daar is mijn knappe dochter. Kom eens hier, Ster. Dit is een journaliste van de krant.'
Schoorvoetend stapte Sterre op het tafeltje af. Ze wist wat er nu van haar werd verwacht. Ze moest zich netjes voorstellen aan de mevrouw en haar moeder een zoen geven.
'Over sterren gesproken,' zei moeder tegen de journaliste. 'Sterre zingt de sterren van de hemel. Ze is nu op school bezig met de eindmusical en ze zingt er een solo in. Is het niet geweldig? Weet u wat? Ik nodig u bij deze uit voor de première hier

in het theater. Ik reserveer een stoel voor u in ruil voor een vrolijk stukje in de krant. Afgesproken?'
De journaliste lachte vriendelijk. 'Leuk, dank u wel. Het lijkt me wel een feest om zo boven een theater op te groeien. Als kind krijg je de podiumkunst dan met de paplepel ingegoten!'
Moeder knikte heftig. 'Nou en of,' zei ze. 'Sterre is nu al een echt podiumdier!'
Wegwezen hier, dacht Sterre. Ze lachte beleefd en zei: 'Ik ga maar eens naar boven, denk ik.' Als die mevrouw nu maar niet over haar in de krant ging schrijven! Zij, een podiumdier! Hoe kwam haar moeder er bij?

'Caramba!' zei een flamencodanseres op een van de posters 'Wat kijk je somber, Sterre!'
'Aaaaaaaaah!' schreeuwde een cabaretier op een andere poster met zijn mond wagenwijd open en zijn handen tegen zijn oren.

Hij heeft gelijk, dacht Sterre. Dat is precies hoe ik me voel: somber en aaaaaaaaaah!
Ze pakte een blikje cola uit de koelkast en ging naar haar slaapkamer. Het rook er nog steeds een beetje naar verf. Ze deed het raam open, nam een grote slok, zette de radio aan en haalde haar moeders lippenstift uit de badkamer. Met tissues veegde ze Sing Sing Sing! van haar spiegel. In plaats daarvan schreef ze nu een hele grote sierlijke 'J'. Met allemaal hartjes eromheen. De J van Jade, van Julie maar vooral van Jim. Misschien was het kinderachtig, maar dat kon haar niets schelen. Ze dacht aan zijn ogen, aan de muziek die hij maakte en aan het compliment dat hij haar had gegeven. Ze had zin om Doreen te bellen en haar alles over hem vertellen. Vroeger zou ze dat zeker hebben gedaan, maar nu... nu wist ze niet of Doreen wel geïnteresseerd

zou zijn. Doreen leek zich prima te vermaken met Marit en vast en zeker ook met haar nieuwe iPhone.
Was ze nog wel haar best friend? Een podiumdier was ze in elk geval niet. Ze was wel een liegbeest zonder talent en misschien wel zonder vrienden. Of kon je iemand die je pas twee keer had gezien een vriend noemen?

De volgende ochtend kreeg ze op de mobiel van haar moeder een sms van Doreen:

**,
Kheb n mob!
Xie je zo op school. Ok?
Dor1

Dus liep ze alleen naar school. Saai.

'Sterre, wil jij na school even blijven?' vroeg meester Marius toen ze de klas in kwam.
'Waarom?'
'Dat vertel ik je straks wel.'
De mail! bedacht Sterre zenuwachtig. Meester Marius had natuurlijk mail gekregen van haar moeder! O, kon ze maar weg! Weg, naar huis, naar haar nieuwe witte kamer, met haar hoofd onder haar kussen en dan nergens meer aan denken. Dat ging natuurlijk niet. Ze moest de hele dag op school blijven wachten op de donderpreek die ze aan het einde van de dag zou krijgen, omdat ze thuis gelogen had over haar rol.
Somber liep ze naar haar plek. Toen ze zag dat Doreen en

Marit er al zaten, werd ze boos. Als Doreen haar niet meer wilde ophalen en liever met Marit naar school liep, moest ze dat recht in haar gezicht zeggen en niet met halve smoesjes aankomen!
'Hoi Ster! Sorry dat ik je niet kon ophalen vanochtend. Pap heeft me met de auto bij school afgezet,' zei Doreen toen ze Sterre zag. Ze liet haar iPhone zien.
'Hoe vind je 'm?' Haar stem klonk heel gewoon en ze keek ook gewoon. 'Cool hè?'
Sterre knikte verward. 'Ja. Hartstikke.' Waarom had Doreens vader haar met de auto naar school gebracht?
'Van mijn vader gekregen.'
'Dat hoorde ik al.'
Doreen keek verbaasd.
'Van Marit. Die kwam ik gisteren tegen.'
Marit peuterde aan haar nagels.
'Heb je 'm alvast voor de brugklas gekregen?' vroeg Sterre.
Doreen schudde haar hoofd. 'Nee, dat niet. Weet je Ster, we moeten echt gauw...'
'Oh trouwens, Dootje,' kwam Marit tussenbeide. Ze sloeg haar arm om Doreen heen. 'Mijn moeder vroeg of we na school eerst even mee gaan shoppen in de stad. Dan mogen wij nagellak uitkiezen. We zijn op tijd weer thuis om nog te repeteren en te eten voordat we naar de voorstelling gaan.'
Doreen haalde Marits arm van haar schouder.
'Oké.' Het klonk aarzelend en ze keek er niet echt vrolijk bij.
'Marit! Ga onmiddellijk op je eigen stoel zitten en Doreen, zet je mobiel af en leg hem in het daarvoor bestemde kastje, alsjeblieft,' zei de meester streng. 'Dan kan ik eindelijk eens beginnen. Ik heb groot nieuws!' Hij keek naar Sterre. 'Gisteravond checkte ik nog even mijn mail...'
Zie je wel, dacht Sterre, nu komt het!

Ze zakte zo ver mogelijk onderuit op haar stoel.
'... toen zag ik dat ik een bericht had van theater Tussen De Schuifdeuren,' ging hij verder.
Sterre voelde hoe alle ogen in de klas op haar gericht waren.
Doreen stootte haar zachtjes aan. 'Wat is er?' fluisterde ze.
Ze haalde haar schouders op. Als de meester nu maar niet ging vertellen dat haar moeder dacht dat zij de rol met de zangsolo had!
'Er stond een geweldig aanbod in,' zei hij. 'Wij mogen,' hij dempte zijn stem, 'gratis, helemaal voor niks, de première van Sing Sing Sing! daar opvoeren.'
Een seconde was het helemaal stil in de klas.
'Wow!' riep Doreen. 'Ster, je bent een held!'
Daarna begon iedereen te klappen en te juichen.
Sterre wenste vurig dat ze door de grond kon zakken, want nu zou de meester natuurlijk nog gaan vertellen wat er in de rest van de e-mail stond. En dan zou de hele klas haar keihard uitlachen.
Maar de meester zei verder niets.
Sterre was en bleef een held. In ieder geval tot in de pauze.

'Gaaf dat we de première in het TDS mogen doen,' zei Doreen. Ze zaten met een grote groep op hun vaste plekje in de zon. 'Ik zou graag een keer op het podium oefenen. Zullen we aan je ouders vragen of dat morgen kan? Dan kan ik je ook meteen...'
'Oh ja, leuk!' onderbrak Marit haar. 'Ik doe mee!'
'Ik kan niet,' zei Sterre. Het was eruit voordat ze er erg in had en ze had er ook meteen weer spijt van. Ze kon wel! Ze wilde zo graag weer eens met Doreen afspreken. Maar niet met Marit erbij. No way! Bovendien moest ze morgen naar de haven, naar Jim. Vandaag zou ze hem waarschijnlijk niet zien, omdat ze na

school nog met meester Marius moest praten.
'Hoezo niet?' vroeg Doreen. 'Je kunt haast nooit meer de laatste tijd! En ik...'
'Laat haar maar, Do,' zei Marit sussend. Vals keek ze even naar Sterre. 'Ik help je wel. Daar zijn we toch vriendinnen voor? We gaan gewoon naar mijn huis, zetten de meubels in de woonkamer aan de kant en dan...'
'Bemoei je er niet mee!' zei Doreen hard. Ze stond op en liep weg.
'Waarom doe je zo stom?' zei Marit verontwaardigd tegen Sterre. 'Zie je dan niet dat Doreen het hartstikke zwaar heeft met die grote rol? Daar kan ze echt geen ruzie bij gebruiken, hoor!'
Sterre dacht dat ze uit elkaar zou knallen van woede. Tranen schoten in haar ogen. Ze sprong overeind. Marit duwde haar weer omlaag.
'Ga je janken, Pippi Langkous? Lekkere held ben jij.'
Weer wilde Sterre opstaan, maar Marit had hield haar tegen.
'Ik ga even naar binnen. Kijken of ik iets voor Dootje kan doen. Da-hag, Pippi Jankkous.' Heupwiegend liep ze naar binnen.
Sterre zette de capuchon van haar sweater op en trok hem zover mogelijk over haar betraande gezicht. Zij een held? Eentje op sokken misschien...

Na de pauze gingen ze repeteren. Voor Sterre betekende dat vooral aan de rand van het podium op een krukje zitten en wachten. Ze vond het wel best. Nu kon ze zich toch niet concentreren. Met een hoofd vol sombere gedachten keek ze naar Doreen die samen met Joris een romantische scène moest spelen. Ongelofelijk knap, dacht Sterre, dat ze het voor elkaar krijgt om nu zo goed te acteren, terwijl ze daarnet nog zo woe-

dend was. Dat noemen ze dus talent. En doorzettingsvermogen.

Ze dacht aan vroeger toen ze samen met Doreen bij haar in de achtertuin Salto's Van Geluk maakten op de trampoline. Als Sterre dan na tig salto's hijgend en met pijn in haar rug van het verkeerde landen in het gras plofte, zei Doreen: 'Nog één, Ster! Je kunt het zo goed!'
'Ja maar alles doet zeer en ik ben hartstikke moe.'
'Nou en? Dat gaat toch wel weer over?'
Doreen ging altijd door. Alles ging altijd over.
Ook nu blijkbaar, nu ze met een bleek gezicht totaal opging in haar rol.

Joris speelde dat hij als Danny erg bezorgd was om Jola. Waar was ze? Uiteindelijk vond hij haar, ziekjes liggend aan de andere kant van het podium.
'Danny...' verzuchtte Doreen. Wat deed ze dat goed, met zo'n snik in haar stem.
'Jola...' zei Joris. Het klonk eerder verbaasd dan gerustgesteld.
Doreen wreef over haar voorhoofd. Dat stond niet in het script, maar dat maakte natuurlijk niet uit. Plotseling zag Sterre dat Doreen paniekerig naar haar seinde met haar ogen. Met opgetrokken wenkbrauwen keek ze terug.
Wat was er met Doreen?
Was ze haar tekst vergeten?
Moest ze spugen?
Zat er een muis op het podium?
Nee, dat was het allemaal niet.
Het was iets wat zij nog niet wist en Marit ook niet.
Het had vast iets te maken met die zondag dat haar kamer af was en Doreen niet kon komen kijken. Het had iets te maken

met dat slechte slapen van haar en die kringen onder haar ogen. Het had iets te maken met het briefje voor de meester, met die nieuwe iPhone, het te laat komen en wegblijven van school, met de auto gebracht worden...
Ze ging al half staan om Doreen te helpen.
Met een schorre stem zei Doreen nog een zinnetje: 'O... Eh... ze zeiden dat het heel slecht met je ging, dat je héél ernstig ziek was...'
Joris antwoordde: '... Ja, dat bén ik ook...' en toen rende Doreen weg.
Sterre schrok zich te pletter. Ze was van zichzelf wel gewend dat ze regelmatig naar de wc's vluchtte, maar van Doreen?
'Zal ik even achter haar aan gaan, mees?' vroeg Marit.
'Nee, laat me met rust!' gilde Doreen.
'Nee dus,' zei Sterre. Ze schrok zelf van haar harde stem.
Vertwijfeld keek meester Marius even van Sterre naar Marit. Toen knikte hij.
'Sterre heeft gelijk. We laten Doreen even met rust en gaan met z'n allen naar boven om in het lokaal de repetitie na te bespreken. Daarna zijn we klaar voor vandaag.'
Terwijl Marit schoorvoetend achter de rest van de klas aan liep naar boven, liep Sterre naar de wc's. Ze had haar hand al op de deurklink, toen ze de stem van de meester hoorde. 'Ik zei "we gaan met z'n allen naar boven". Dus jij ook, Sterre.'
Ze voelde dat ze aan haar sweater werd getrokken. Dat was Marit natuurlijk weer.
'Wat waren jullie aan het doen?' fluisterde ze. 'Ik zag het wel! Jullie zaten naar elkaar te gluren en toen ging ze huilen. Lekker ben jij, door jouw gedoe met haar is de hele repetitie verprutst!'
Sterre zei niets. Door jouw gedoe, galmde het na in haar hoofd. Door jouw gedoe. Was dat niet simpelweg hetzelfde als 'door jouw schuld'? Misschien had Marit gelijk. Misschien was alles haar schuld.

'Jongens en meisjes,' zei de meester, 'als jullie net zo goed zijn op het podium bij Tussen De Schuifdeuren als jullie vandaag hier in de hal waren, maken jullie me dolgelukkig. Wat een goede repetitie! En wat Doreen betreft, laat haar even aan mij over. Pak rustig je jas en je tas en ga naar buiten. Fijn weekend!'
Rumoerig kwam iedereen weer overeind. De meester stond bij de deur. Sterre zag hoe hij Marit even tegenhield en iets tegen haar zei. Nukkig liep ze even later de deur uit. Sterre draalde wat en zorgde ervoor dat ze als laatste richting de deur liep. Meester Marius wilde toch met haar praten, had hij vanochtend gezegd? Ze had nog steeds geen zin in een donderpreek, maar nu Doreen in haar eentje verdrietig op de wc zat, kwam het opeens wel goed uit dat ze langer moest blijven. Kon ze straks tenminste eindelijk rustig met Doreen praten, zonder die vervelende Marit. Ze besloot het gepraat van meester Marius over zich heen te laten komen (hij had toch gelijk, dat wist ze nu al) en zette zich schrap.
'Ons gesprek moet even wachten, Sterre,' zei de meester. 'Hoe belangrijk ik het ook vind om even met je te praten. Ik moet Doreen nu even voorrang geven. Snap je dat?'
Sterre knikte, deels opgelucht en deels teleurgesteld. 'Ja. Ik wacht buiten wel even op haar.'
'Doe dat maar niet. Ik ga zo haar vader bellen, om te vragen of hij haar ophaalt. Dat lijkt me beter.' Samen liepen ze de trap af naar beneden.
Buiten zuchtte Sterre een paar keer diep. Wat een rotdag! Ze was 'm begonnen als held en geëindigd als schuldige.

Sterre kneep hard in haar vuisten toen ze Jim op het bankje in de haven zag zitten. Hij was er weer! Gelukkig, dan was er ten minste ook nog iets fijns vandaag.
Zijn hoofd bewoog ritmisch heen en weer. Hij luisterde naar muziek.
'Hoi!'
Hij antwoordde niet.
'Hoi!'
Weer geen antwoord. Ze ging naast hem zitten. Zijn telefoon lag naast hem.
'H...ha Ster.' Jim had haar eindelijk gezien en deed zijn oortjes uit.
'Hé. Alles goed?'
Hij haalde zijn schouders op en begon te typen.
Best.
'Met je keel ook?'
Weer haalde hij zijn schouders op.
'Waar is je gitaar?'
Kweenie. Kan niet schelen.
'Hoezo niet?'
Driftig tikte Jim op de toetsjes. Gewoon niet!
Oei, dat zag eruit als: hou er onmiddellijk over op. Sterre zweeg.

Jim keek nors voor zich uit.
Hoe is musical? vroeg hij uiteindelijk.
'Ach... ik baal ervan,' zei Sterre. 'Eerst verheugde ik me erop, maar nu... blèèèh.'
Hoezo?
'Ik ben gewoon niet zo'n ster.'
Heb je de hfd.rol?
Ze schudde haar hoofd.
Het was stil.
Sterre las de namen op de bootjes die dobberden langs de aanlegsteiger. Met sierlijke letters waren ze op het wit geschilderd: De Morgenster, Poseidon en De waerheyt.
Jim kuchte en tuurde over het water met half dicht geknepen ogen. Hij trommelde met zijn vingers op zijn knie. Toen typte hij:
Ben hier vandaag voor het laatst.
Nee! dacht Sterre. 'Waarom?' vroeg ze, zo gewoon mogelijk.
Het doek is voor mij gevallen.
'Huh?'
Jim zuchtte diep. Hij keek alsof hij nergens meer zin in had.
Kan geen gitaar spelen. Weet iedereen. Ik stop. Wil niet meer afgaan.
'Maar... je kent alle nummers van Jade uit je hoofd!? En trouwens, wat heeft dat met de haven te maken?'
Uit je hoofd kennen = niet genoeg. Hier oefende ik vaak.
'Jammer.' Sterre zuchtte. Ze was opeens weer een en al verdriet.
ONZIN. Gistermiddag voorspeelmiddag in mzk.school. Heb het verknald. Zoveelste keer.
'O... rot voor je.'
Jim keek nors in de verte.
'Maar eh... je kunt toch gewoon een keer pech hebben? Wie weet speel je de volgende keer weer net zo perfect als je hier in de haven doet.'

Weet je nog verhaal over musical? Ik verpruts alles.
Hij overdrijft, dacht Sterre hoopvol. Misschien had hij last van plankenkoorts. Daar wist ze zelf alles van.
Ik hoefde maar een nummer te spelen. Drie lastige akkoorden, rest was eitje. Het moest perfect. Snappie?
Tuurlijk, dacht Sterre, niemand wil toch fouten maken tijdens een optreden?
Ik ga. Sorry.
Jim stond op en type snel nog wat.
Later.
Hij schudde zijn hoofd en typte er nog wat voor.
Niet.
Hij keek Sterre niet meer aan en liep met grote passen de dijk op.
Er viel een regendruppel op Sterres neus, maar ze voelde hem nauwelijks. Als versteend zat ze in haar eentje op het bankje. Er viel ook een regendruppel op haar hoofd en een op haar schouder. Haar haren werden nat van de regen, haar jas, haar broek. En haar wangen werden nat. Van heel veel tranen.

'Die zit goed in de knoop met zichzelf,' sliste het slangenmeisje op een groene poster linksboven tegen de muur in het gangetje.

Bibberend deed Sterre de deur achter zich dicht.

'Ludduvuddu heet zoiets,' zei de ballerina die de stervende zwaan speelde op een poster rechts van het midden.
'Welnee! Het was gewoon een er-gee-en-bee,' vond een goochelaar. De papieren artiesten keken hem vragend aan.
'Een regenbui!'
Alle posters schaterden het uit in stilte.

Sterre ging de trap op met drie treden tegelijk. Ze was doorweekt en verkleumd en wilde niemand tegenkomen, dat stelletje halfgare papieren sterren al helemaal niet.
In haar slaapkamer pakte ze snel haar badjas en ging naar de badkamer. Ze liet het bad vollopen en gleed het warme water in. Ze sloot haar ogen en probeerde helder na te denken. Waarom kwam Jim niet meer naar de haven? Het maakte haar niet uit of hij er gitaar speelde of niet. Als hij maar kwam. Hoe kon ze hem dat duidelijk maken? En wanneer? En vooral: waar?
En Doreen? Kon je BFF blijven met iemand tegen wie je loog? Kon je BFF blijven met iemand op wie je jaloers was? Kon je BFF blijven met iemand van wie je niet meer alles wist en die bij een andere vriendin ging logeren? En hoe kon je de waarheid vertellen aan je ouders als je al wist hoe ze zouden reageren?

In haar badjas zat Sterre even later aan haar bureau. Haar ouders waren beneden in het theater. Er waren dit weekend veel voorstellingen, dus ze zou hen amper zien. Ze had Doreen geprobeerd te bellen, maar er werd niet opgenomen. Nu wilde ze haar wel een e-mail sturen, maar ze kon geen goede tekst verzinnen. Waar moest ze beginnen? Bij het gedoe rondom de musical, bij Jim, bij wat er met Doreen aan de hand was, bij Marit?

Op internet zocht ze informatie over Jimi Hendrix. Rare gast, maar gitaarspelen kon 'ie inderdaad heel goed.

Daarna zocht ze naar Julie Andrews en toen naar Jade. Op haar allernieuwste cd-hoes stond een zwart-wit portret waarin alleen haar ogen felgroen oplichtten. Jade keek stoer, krachtig, bijna woedend. Heel anders dan Julie. Julie was zo mooi als een ouderwetse barbiepop, vond Sterre. Het viel haar op dat Jade op het podium haar vuisten gebald hield en haar ogen gesloten. Op heel veel foto's die ze vond, stond ze zo. Alsof ze boos en bang tegelijk was.

Dat was ze natuurlijk niet echt. Never ever, dacht Sterre. Jade was dan volgens haar moeder een controlefreak, maar ze durfde toch maar mooi voor duizenden mensen tegelijk te zingen en te dansen.

Sterre ging voor haar spiegel staan en verbeeldde zich dat ze

Jade was. Dat ze alles onder controle had. Dat ze lef had. Dat ze zong en danste, dat ze iets deed waar anderen trots op waren. Waar ze zelf trots op was. Ze zong en danste voor de spiegel totdat ze helemaal bezweet was en plofte op bed. Haar hart klopte als een gek en ze hijgde. Lekker!
Opeens wist ze wat vanavond zou gaan doen: verven! Achter in haar kledingkast lag een kwast. In een van haar bureaulades had ze een pot verf verstopt. Groene verf. 'Jade' heette de kleur. Daarom vond ze 'm zo mooi. Samen met Doreen had ze 'm gekocht van haar zakgeld.
'Ik zie wel welke muur ik ermee ga verven. Ik wil geen kamer die helemaal wit is. Mam zal het niet leuk vinden, maar het is toch mijn kamer?' had ze tegen Doreen gezegd.
'Ja joh,' vond Doreen. 'Misschien vinden je ouders het wel knalgaaf, zo'n gekleurde muur. Misschien ook niet. Gaan ze moeilijk doen. Ach, dat gaat ook wel weer over.'
Sterre had nu bedacht dat ze niet de hele muur groen zou maken, maar dat ze iets op de muur zou verven. Ze zette de pot verf en de kwast klaar op de grond, pakte een potlood, ging op haar bed staan en tekende met dunne lijntjes alle letters van haar naam. Zo sierlijk mogelijk, met allemaal sterren er omheen. Daarna schudde ze de pot verf en wrikte hem open met een liniaal. Ze haalde een oud keukenschort en deed het om. Over haar dekbed legde ze een oud badlaken. Toen verfde ze heel precies met de kleur jade de letters en de sterren in.
Toen ze klaar was, waste ze in de badkamer haar handen. Naast de wasbak lag de lippenstift van haar moeder. Zou ze? Ze tekende een gitaar met een heleboel sterren en muzieknoten eromheen. Do re mi fa sol la ti Do. Ze dacht aan Doreen en aan Jim en voelde een steek in haar buik.
'Ster!' Ineens stond moeder in haar kamer. Zo nijdig als een spin.

Sterre schoot uit.
'Wat ben je in godsnaam aan het doen?'
'Ik eh... gewoon...'
'Gewoon? Gewoon? Ben je nou helemaal gek geworden? We hadden de muren net zo mooi wit geverfd. En waarom zit je nu weer met mijn dure lippenstift op je spiegel te kliederen? Ben ik de vorige keer niet duidelijk genoeg geweest? Laat ik het dan nu zijn: een week huisarrest.' Met een klap sloeg ze de deur weer dicht. Sterre hoorde haar de trap aflopen en in de keuken boos praten tegen vader.
Dat mam niet vrolijk werd van de lippenstifttekening op haar spiegel, had ze kunnen weten. Ze had alleen zo gehoopt dat haar moeder verrast zou zijn over haar muurschildering. Dat ze zou zeggen: 'Wat knap van je! Ik wist niet dat je dat zo goed kon, Ster!' Niet dus. In plaats daarvan was ze 'nou helemaal gek geworden' en was het 'geklieder'. Bovendien: een week huisarrest! Dat had ze nog nooit gekregen! Belachelijk.
Moedeloos ging ze aan haar bureau zitten en staarde naar de kaarten uit Tsjechië. Mam had haar geleerd dat het moment waarop in een toneelstuk alles helemaal fout leek te gaan, de climax werd genoemd. En dat daarna het einde begon waar alles toch nog goed kwam. Anders zou het publiek teleurgesteld naar huis gaan.
Volgens mij zit ik in een climax zonder goede afloop, dacht Sterre.
Ik kan niks.
Ik durf niks.
Toch moet ik iets doen. Het moet. Maar wat?
Zie je, ik weet ook niks.

Toen ze hoorde dat haar ouders weer naar het theater gingen,

liep ze de trap af naar de keuken. In de pannen op het fornuis zaten nog wat restjes. Ze warmde alles op, maakte het aanrecht schoon, zette de televisie aan en at zappend met kleine hapjes. Op het journaal hoorde ze over de economische crisis. Ze keek een stukje van een documentaire over wilde dieren waarin twee leeuwen met elkaar vochten, zapte weg van de reclame en kwam uit bij een interview met Jade. Cool!

'Het blijft spannend,' zei Jade. 'Voor elk optreden heb ik de zenuwen en denk ik in de kleedkamer: kan ik nog weg? Of: waarom ben ik niet gewoon in het achtergrondkoor van The Dark Shadow blijven zingen? Dat was zo ontzettend leuk om te doen!'

'Waarom, Djeeduh,' vroeg de interviewer, 'ben je dan niet bij The Dark Shadow gebleven?'

Wat een weirdo was die kerel, zo overdreven Engels als hij haar naam uitsprak.

'Ik wilde als het ware uit mijn eigen donkere schaduw stappen en stralen,' zei Jade. Ze liep naar het podium, ging op een krukje zitten en zong haar nieuwste nummer akoestisch.

Sterre kreeg er kippenvel van.

Toen het programma was afgelopen ging ze naar boven. In haar hoofd zat nog steeds het zinnetje van Jade. Uit je donkere schaduw stappen. Stralen. Een avondster straalde aan de hemel. Een popster straalde op het podium. Ze poetste haar tanden. En Sterre Julie? Waar straalde zij?

Op haar kamer bekeek ze wat videootjes op YouTube, staarde lang naar de fotolijst die ze van Doreen had gekregen en piekerde ondertussen verder.

Doreen kon niet alleen goed zingen, maar ook goed dansen en toneelspelen. Ze had lef en doorzettingsvermogen. Maar de laatste tijd was er ook iets mis. Wat, dat wist Sterre niet. Maakt

niet uit, dacht ze. Ik moet haar helpen, zodat ze tijdens de première kan stralen.
En Jim? Hij kon ook wel wat hulp gebruiken.
In bed pakte ze het tekstboekje van de musical erbij. Ze wilde het nog eens goed doorlezen, maar ze kon zich niet concentreren. Ze deed haar bedlamp uit, draaide zich op haar zij, maar kon niet slapen. Zelf heb ik ook wel wat toestanden op te lossen, dacht ze. Met pap en mam. Met m'n kamer en met... mezelf. Ik heb het druk, huisarrest of niet. Ze knipte haar bedlamp weer aan.

Het was midden in de nacht. Met wijd opengesperde ogen lag Sterre in bed en staarde naar het plafond. De mobiel van haar moeder hield ze vast in haar rechterhand. In haar linkerhand had ze een volgeschreven blaadje. Er stond precies op wat ze tegen Doreen zou gaan zeggen. Als een soort monoloog voor een toneelspeler. Eerder op de avond had ze het in bed opgeschreven en daarna had ze het gerepeteerd. Ze was pas laat gaan slapen en had haar wekker op twee uur gezet. Nu was het half drie.

Ze ging rechtop zitten en deed het licht aan. Ze vouwde de brief open en toetste het nummer van Doreen in.

Ze nam meteen op. 'Hallo?' vroeg ze fluisterend.

'Ha Do.'

'Ster?'

'Sorry dat ik je midden in de nacht stoor.'

'Geeft niet.'

'Hoe voel je je?'

'Gaat wel.'

'Kon je wel gaan logeren?'

'Ja. Ik had het Marit beloofd. En het kwam thuis wel goed uit.'

Even voelde Sterre een steek in haar maag.

'Slaap je in Marits slaapkamer?'

'Ja.'
'Slaapt ze?'
'Ja.'
'Ik eh...' even aarzelde Sterre. 'Ik wil je iets vertellen.' Ze pakte de brief en las hem voor. Hij ging over haar zenuwen voor de audities, over hoe lastig ze het vond dat Doreen dezelfde rol wilde als zij en die ook kreeg, maar dat meester Marius wel de juiste beslissing had genomen, want Doreen was nu eenmaal veel beter in toneelspelen dan zijzelf. En over hoe Marit tegen haar had gedaan, hoe ze zelf had gelogen tegen haar ouders en over haar ontmoeting met en het afscheid van Jim. Tot slot vertelde ze dat ze op haar muur had geverfd en wat Jade had gezegd in het televisie-interview. Aan de andere kant van de lijn was het muisstil.
'Ongelofelijk,' zei Doreen toen Sterre klaar was. 'Nu begrijp ik het allemaal pas!'
Sterre slaakte een zucht van opluchting. 'Sorry, Do. Wil je nog best friends met me zijn?'
'Tuurlijk! Best friends.'
'For ever. Do?'
'Hm?'
'Wil je me nu vertellen wat er met jou is?'
'Nu?'
'Ja.'
'Zal ik het niet gewoon morgen na school...'
'Ik heb huisarrest, dus ik kan morgen na school niet. Trouwens, waarom niet nu? We zijn toch wakker. Is het iets ergs?'
'Ja.'
Sterre hoorde een snik in Doreens stem. 'Het maakt mij niet uit hoe erg het is. Echt niet. Kom maar op.'
'Het is geheim. Eigenlijk mag ik het niet vertellen, maar ik moet. Ik kan het niet meer geheim houden.'

'Vertel maar. Ik kan heel goed geheimen bewaren. Dat weet je. Ik help je wel.'
'Weet ik. Maar het gaat om mijn ouders. Mama wil nog niet dat iemand het weet.'
'Geen punt,' zei Sterre. Ze hoorde Doreen slikken.
'Oké dan. Mama heeft borstka...'
Ineens klonk de stem van Marit er op de achtergrond doorheen. 'Doreen, wat doe je? Het is midden in de nacht?!'
'Ik moet ophangen,' zei Doreen. 'Doeg!'

'Borstka...nker?' zei Sterre hardop toen de verbinding was verbroken. 'Oliebol!' schold ze zichzelf uit. Terwijl haar vriendin een ernstig zieke moeder had, was zij jaloers geweest op haar, omdat ze de rol met de zangsolo had. Lekker belangrijk! Op haar tenen liep ze naar beneden om de telefoon terug te leggen in de vensterbank. Daarna ging ze naar de badkamer, pakte een heel oude lippenstift van haar moeder, veegde de gitaar en alle muzieknoten van haar spiegel en schreef:

Doreen:
Steunen
Troosten
Kaartje voor optreden Jade regelen
Oefenen voor musical

Jim:
Zoeken en Vinden!!!
Optreden in TDS voor hem regelen

Pap en mam:
De waarheid vertellen

Het paste precies. Morgen zou ze beginnen. Zodra ze wakker was, zou ze in actie komen. Meteen. Ze stapte weer in bed en viel in een diepe, maar onrustige slaap.

Het hele weekend had Sterre voor pampus op de bank gelegen. Met spierpijn, koorts en veel gehoest en gekuch. Af en toe had ze wat geoefend voor de musical, maar telkens was ze met het tekstboekje in haar handen in slaap gevallen. Ze had totaal geen energie.

Met een bonzend hoofd en een droge mond werd ze maandagmorgen wakker.

Moeder stond naast haar bed, met haar rug naar de spiegel. 'Ster? Ben je wakker? Ster?'

'Hm-hm,' zei Sterre. Haar stem kraste en kraakte.

'Je hebt je verslapen, schat.' Mam voelde aan haar voorhoofd. 'En je voelt nog erg warm. Dat wordt geen school voor jou vandaag. Jij blijft lekker in je bed. Ik breng je zo thee en een beschuitje. En als je beter bent, gaan wij eens even goed praten.'

Sterre kreunde. Ze was verrast dat haar moeder ineens weer zo aardig deed, maar ze wilde echt niet in bed blijven. Ze had het veel te druk. Ze moest die lippenstiftlijst op haar spiegel afwerken!

Mam was alweer naar beneden toe. Sterre stapte uit bed en greep naar haar hoofd. Duizelig! Langzaam bukte ze zich, raapte haar badjas op van de grond, hing hem over de spiegel en kroop weer terug in bed. Zo. Die lippenstiftlijst bleef voorlopig nog even haar geheim.

'Geniet van je ontbijt,' zei moeder toen ze even later een dien-

blaadje op bed neerzette. 'En probeer nog wat te slapen. Ik zal Doreen opbellen en zeggen dat ze je niet hoeft op te halen en de meester zal ik ook even inlichten.'
'Oh nee, dat hoeft niet,' zei Sterre haastig.
'Hoezo niet?'
'Eh... ik e-mail haar. Ze heeft een iPhone, dus...'
'Oké,' zei mam. 'En school dan?'
'Ik eh... vraag Doreen of zij het tegen de meester wil zeggen.'
Argwanend keek moeder haar aan. 'Ik vind dit niet goed, Ster. Een moeder hoort de school te informeren als haar kind ziek is.'
'Mam, geloof me. Het hoeft niet. Ik zit in groep 8, weet je nog? Ik ben geen klein kind meer. Ik regel het zelf!'
Mam aaide over haar hoofd. 'Dat is ook zo. Je wordt al groot,' zei ze. 'Groot en zelfstandig met een heel eigen smaak...' Even krulden haar mondhoeken omhoog. 'Doe nou maar rustig aan, Ster. Ik bel even naar school en vraag aan de conciërge of hij het even doorgeeft.' Ze gaf haar een zoen en ging weg.
Sterre hoopte maar dat moeder inderdaad de conciërge aan de telefoon zou krijgen. Met wankele stappen liep ze naar haar bureau en klapte de laptop open. Het was nu kwart over acht. Doreen zou zo direct richting school gaan. Misschien met Marit. Vlug opende Sterre haar mailbox en typte een nieuw berichtje voor Doreen.

Aan: dor1_4ever@hotmail.com
Onderwerp: ziek, zwak en friends 4ever!!!

Ha KaDootje,
Ben ziek. Griep of zo. Gaat wel over, zou mijn BFF zeggen. Moet thuis blijven. Tot zo snel mogelijk ziens!
Toedeloei,
**

Doreen stuurde meteen een berichtje terug:

Aan: SuperSter@hotmail.com
Onderwerp: RE ziek, zwak en friends 4ever
BFF,
Hopelijk knap je snel op. Blijf maar lekker in je bedje in je nieuwe kamer met de groene sterren (KNETTERGAVE actie!!!) (Ik wist wel dat je het kon!!!).
Als je beter bent, haal ik je weer op voor school.
Gtrzz,
Dor1

Met een zucht stapte Sterre weer in bed. Dat was dat. Het volgeschreven blaadje van Doreen kraakte onder haar kussen. Ze legde het in haar bureaula en pakte haar schrijfblok. Actie, Sterre, dacht ze. Ook al wordt er gehamerd, geboord en gezaagd in je hoofd: actie! Op een leeg vel schreef ze:

Lieve pap en mam,

En toen kwam er heel lang niks.

'Zo, Sterre,' zei de meester toen iedereen de klas uit was. 'Zou jij nog even voor mij de planten water willen geven? Ik moet nog even iets kopiëren. Daarna wil ik eindelijk eens met je praten.'

Sterre pakte de gieter en vulde hem met water.

Toen ze vanochtend wakker werd, was al het gereedschap uit haar hoofd verdwenen, dus ze was weer gewoon naar school gegaan.

Terwijl ze water bij de planten in de vensterbank goot, zag ze Doreen en Marit samen het schoolplein aflopen. Marit sloeg haar arm om Doreens schouders, maar Doreen haalde hem er weer vanaf.

'Speel je nog wel eens met Doreen,' vroeg meester Marius. Hij was naast haar komen staan met een stapel kopieën onder zijn arm.

Sterre knikte.

'Goed zo,' zei de meester. 'Kom, we gaan even zitten.'

Nu komt het, dacht Sterre, terwijl ze op haar stoel heen en weer schoof en naar de punten van haar schoenen staarde. Nu krijg ik vreselijk verschrikkelijk gruwelijk erg straf.

'Geweldig dat we in het TDS mogen optreden,' zei de meester. Hij zat op zijn tafel en wiebelde relaxed met zijn benen op en neer. 'Toch?'

Sterre haalde haar schouders op.
Het idee was voor alle kinderen in de klas gigafantastisch, maar niet voor haar. Want haar ouders zouden zien dat hun kind geen zangsolo had, maar een pietepeuterig piepklein minirolletje en wat zinggedoe in het koor. En daar zouden ze niet vrolijk van worden.
'Was het een idee van jou of van je ouders?'
'Van mijn moeder.'
'Van je moeder,' herhaalde de meester. Het klonk als een vraag.
Sterre knikte.
'Waarom zou ze het bedacht hebben, denk je?'
'Het is haar werk.'
'Met werk verdien je geld. Hier krijgt je moeder niets voor, sterker nog, zo'n premièreavond kost haar alleen maar geld. En tijd, want ze moet het ook organiseren.'
'O ja.'
'Dus, waarom zou ze het bedacht hebben?' De meester klonk akelig geduldig.
'Omdat ze... omdat ze dat leuk vindt,' perste Sterre eruit. Haar keel deed ineens zeer en ze voelde haar ogen vollopen met genoeg tranen voor een ontzettend lange huilbui waar ze een half uur van na kon snikken.
De meester knikte. 'Klopt. Je moeder geniet van zulke dingen. Anders was ze geen theaterdirecteur geworden, natuurlijk!' Hij zweeg even. 'Waarom nog meer, denk je?'
Sterre haalde haar schouders op. Haar stem leek platgedrukt.
De meester haalde een glaasje water.
'Het is... het is een goede reclame voor ons theater,' piepte Sterre.
'Tuurlijk,' zei de meester. 'Dat ook, ja.'
Hij zuchtte. 'Ze denkt dat jij Jola speelt, Sterre.'
Sterre hield haar adem in. Ze durfde hem niet aan te kijken. Nu wordt hij laaiend, dacht ze.

‘Wanneer bedacht je moeder dat de première in het TDS zou kunnen?’
Sterre dacht na.
‘Was dat voor- of nadat ze in de veronderstelling raakte dat jij Jola speelt?’
‘Daarvoor,’ zei Sterre zacht. ‘Denk ik.’
De meester zuchtte weer.
Van onder haar wenkbrauwen keek Sterre hem aan. Ze zag niks laaiends.
‘Zie je nou wel,’ zei meester Marius. ‘Je moeder vindt het leuk om dit voor ons te organiseren, of jij nou Jola speelt of niet. Het maakt haar niet uit.’
‘Ze denkt dat ik goed ben in musicals,’ fluisterde Sterre.
‘Hmmm. Misschien.’ De meester krabde even op zijn hoofd. ‘Weet je waar jij goed in bent? Zingen. Daarom wilde ik jou per se in het koor. Jij hebt de belangrijkste stem in het koor, wist je dat? Als jij gaat zingen, klinkt het geheel veel beter.’
Sterre snufte.
‘Weet je wat je nog meer goed kunt? Dit.’ Hij pakte een vel van de stapel kopieën en hield hem omhoog.
Wow! Het was een poster met de aankondiging van de musical. De meester had een mooie foto gebruikt van een podium waarvan de rode gordijnen opzij waren geschoven. Er stonden twee microfoons op een standaard gezellig dicht naast elkaar. Er was een spotlight op gericht. Het leek precies op het podium van het TDS. Aan de bovenkant van de poster stond in een boogje de titel van de musical: Sing Sing Sing!
Sterre herkende de letters. Die had zij getekend. Met sterretjes als puntjes op de i.
‘Hoe vind je ’m?’
‘Mooi,’ zei ze zacht.
‘Ik ga ze overal ophangen,’ zei de meester. ‘Weet je wat? Neem

deze alvast maar mee. Voor je moeder.' Hij rolde de poster op en gaf hem aan Sterre.
'Beloof je me dat je straks thuis vertelt dat je niet Jola speelt, maar Debby?'
'Oké,' zei Sterre. Ze schraapte haar keel. 'Ben je niet laaiend op me?' vroeg ze.
De meester schudde zijn hoofd. 'Nee,' zei hij. 'Ik ben niet laaiend. Maar ik vind wel dat je je moeder moet laten weten waar je echt goed in bent.' Hij stond op en hield de deur voor haar open. 'Succes, Sterre!'

'Superstar! Superstar!' baste het mannenkoor aan de muur, toen Sterre de trap op liep.
'De poster die je van meester Marius hebt meegekregen,' zei een artieste met bijzondere gaven en een glazen bol, 'zal je nog goed van pas komen!'

Verbaasd draaide Sterre zich om. De beroemdheden hingen strak en stijf van het behangplaksel zwijgend tegen de muur.

'Je bent laat,' zei mam. Ze zat aan de keukentafel achter haar laptop. Pap was al aan het koken. 'Hoe kan dat? Je hebt toch huisarrest deze week?'
Sterre knikte. 'Meester Marius wilde even met me praten.'
'Oh? Waarover?'
Sterre beet op haar lip. Ze kon het niet zeggen. Ze kon het niet! Het was te erg!
'Nou?' Haar moeder klonk een beetje ongeduldig.
Had ik de brief nu maar bij me, dacht Sterre. Dan gaf ik 'm gewoon, klaar.
Het had haar veel moeite gekost om alles op papier te zetten voor haar ouders, maar uiteindelijk was het gelukt. Het was een mooie brief geworden. Sterre had hem opgeborgen in haar bureaulaatje, onder de brief voor Doreen.
'De meester vertelde in de klas dat je had gemaild over de première, mam,' zei ze. Eerst maar even goed nieuws vertellen. Zo was ze in de brief ook begonnen.
'Hoe vond 'ie het?'
'Supertof. Iedereen vindt het cool dat de première hier mag.'
'Fijn,' zei haar vader. 'We gaan er een toffe, coole show van maken.'
Sterre knikte en liet de poster zien.

'Zo hé! Die is mooi!' vond pap.
'De meester gaat ze overal ophangen. Ik heb de letters gemaakt.'
'Prachtig zijn ze,' zei haar moeder bewonderend. Doordringend keek ze Sterre aan. 'Waar heb ik die kleur toch eerder gezien?'
Sterre bloosde.
Haar vader draaide zich om. 'Eens even nadenken. Op een grote spiegel, denk ik. Oh nee, dat was rood!'
'Pahap,' zei Sterre. Ze nam een hap lucht. Ik moet het zeggen, dacht ze. Hoe erg het ook is.
'Er is nog iets.'
Vragend keken haar ouders haar aan.
'Ik speel niet Jola.'
'Wat?' vroeg moeder.
'Ik heb die rol met de zangsolo niet. De meester wilde me per se in het koor, zei hij.'
'Ach, Ster. Heeft hij dat nu nog besloten? Over een paar weken is de première al!'
Ja, wilde Sterre zeggen. Gewoon: ja. Lekker makkelijk. Wat maakte het uit op welk moment de meester dat besloten had? Het ging er per slot van rekening om dat haar ouders wisten dat hun dochter niet de stralende ster van de avond zou worden tijdens de première. Maar een stemmetje in haar hoofd zei nee. Luid en duidelijk.
'Nee,' zei ze zacht. 'Ik wist het meteen na de audities al.'
'Hè?' zei haar moeder verbaasd.
'Sorry,' zei Sterre. 'Op de een of andere manier...'
'Op de een of andere manier wát, Ster?' Moeders stem klonk scherp als een mes. 'Je vertelt me dat je alles zelf kunt regelen, dat je geen klein kind meer bent en groot genoeg om je eigen boontjes te doppen. Maar ondertussen doe je van alles en nog

wat zonder overleg en nu begrijp ik dus dat je ook liegt. Fraai is dat!'

Lag ik maar in bed, dacht Sterre. Ik word hier zo moe van. 'Ik wil helemaal niet jokken als een klein kind. Ik wil het juist allemaal goed doen, maar...'

'Daar merk ik vrij weinig van!' zei haar moeder boos. 'Je schaadt het vertrouwen dat we in je hebben!'

'Wacht even,' zei pap. 'Sterretje, zo kennen we je niet. Dus nu willen we alles van je horen, van A tot Z, het hele verhaal.'

Sterre knikte. 'Sorry! Het lukt gewoon allemaal niet,' zei ze. Haar stem sloeg over. 'Sorry! Sorry! Ik kan het niet. Ik ben niet goed genoeg. Weet ik veel!'

'Wat bedoel je in hemelsnaam, Ster,' zei moeder. Ze klonk alweer wat liever, gelukkig.

'Ik ben geen klein kind meer!' riep Sterre. 'Ik wil gewoon...'

'Rustig aan,' zei pap. 'Haal even diep adem. Ik snap er nog steeds niks van.'

'Doreen is honderd keer beter in dansen en toneelspelen dan ik. En in leren. En in... alles. Zij speelt Jola. Sorry. Ik vind het heel erg voor jullie.'

'Voor ons?' zei vader. 'Wacht even. Bedoel je dat je die zangsolo voor ons wilde?'

Sterre knikte.

'Hoezo?'

'Nou,' zei moeder. 'Ik had het wel leuk gevonden, natuurlijk, als je...'

'Zie je wel!' riep Sterre. 'En nu ben je teleurgesteld in me! Ik wist het wel! Je bent teleurgesteld in je lieve kleine Ster!' Ze sloeg haar armen stevig over elkaar om de snikken in haar buik vast te houden. Als ze nu ook nog ging janken, vonden haar ouders haar zeker nog een klein kind.

Mam stond op en sloeg haar armen om Sterre heen. 'Luister

Ster,' zei ze. 'Ik ben teleurgesteld in een kind dat niet de waarheid vertelt en in een kind dat dingen niet overlegt. Maar ik ben trots op een kind dat me de waarheid zegt, dat mooi kan zingen en prachtige letters maakt op muren en posters. Het spijt me enorm als ik je het gevoel heb gegeven dat je de dingen niet goed genoeg doet. Volgens mij doe je met alles juist vreselijk je best. Is dat duidelijk?'
'Maar je zei dat ik naar een kunstopleiding moet,' sputterde Sterre.
'Nee, ik zei dat je dat KUNT,' zei haar moeder, 'je MOET niks.'
'Maar ik kan helemaal niet toneelspelen! Ik pies in mijn broek van de zenuwen, ik ben bang dat ik mijn tekst vergeet, dat ik struikel, dat ik het decor omverloop...'
'Ho ho,' zei mam. 'Begrijp ik het goed dat je wel durft te zingen op het podium, maar dat je toneelspelen eng vindt?'
Sterre knikte. 'Zingen vind ik ook mega eng, maar dat lukt soms nog een beetje.'
Mams ogen begonnen te glinsteren. 'Had ik je al eens verteld dat niet alle kunstopleidingen toneelopleidingen zijn? Er zijn ook zangopleidingen, Sterre.'
'Ja,' zei pap. 'En teken- en designopleidingen, waar je nog mooiere letters leert maken.'
'Maar wat als ik nu bijvoorbeeld verpleegster wil worden? Of zakenvrouw?' vroeg Sterre.
'Dan ga je niet naar een kunstopleiding,' zei haar vader droog.
Vragend keek Sterre naar haar moeder.
Die keek vragend terug. 'Wat is er? Verbaast het je, dat we dat zeggen?'
Of het me verbaast? dacht Sterre. Ik droom, geloof ik!
'Je moet niet zo streng zijn voor jezelf,' zei haar vader. 'Eerlijk zijn is veel belangrijker.'
'En doen wat je leuk vindt,' vulde haar moeder aan. 'Dus: zin-

gen, mooie letters maken en lekker naar de havo. Daarna zien we wel weer verder.'
Pap zette een brandende kaars op tafel en schepte op.
Sterre ging zitten. Ze voelde zich vreemd. Een beetje onwennig.
Mam keek haar lief aan.
Pap gaf haar een knipoog.
'Wijntje?' vroeg hij aan moeder.
'Graag!'
'Sapje, Ster?'
'Lekker. Mag ik... mag ik nog iets vragen?'
Haar ouders knikten.
'Ik wil zo graag voor Doreen een kaartje voor het optreden van Jade. Het is heel belangrijk!'
'Hoezo "belangrijk"?' vroeg haar vader.
'Ze heeft het nodig. Meer mag ik er nu niet over zeggen. Het is een geheim. Iets... ergs.'
Moeder fronste haar wenkbrauwen.
'In ruil voor klusjes?'
'Zoals wat?' vroeg mam.
'Ik kan eh...' Sterre keek de keuken rond. De stapel post op de vensterbank viel bijna om. Het aanrecht was een bende, al dagen. Het raam was vettig. 'Ik kan opruimen en poetsen. De keuken en de badkamer. Ik kan de stoep beneden vegen en het onkruid wieden. Ik kan vaker kopjes koffie en thee zetten voor artiesten, ik kan... ik kan hapjes verkopen bij de try-out!' Ze juichte bijna. Wat een goed idee was dat!
'Hapjes verkopen? Hmmm. Best leuk eigenlijk,' zei haar moeder. Ze zuchtte.
'Vooruit. Je krijgt kaartjes voor de middagvoorstelling, zaterdag over twee weken. Een voor Doreen en een voor jezelf. Voor deze ene keer. Maar beloof me dat je nog uitlegt wat er dan zo belangrijk is!'

Sterre knikte blij. 'Beloofd! Geeft Jade die middag haar eerste try-out?'
'Nee, de week ervoor. Maar dan zit de zaal al vol.'
'En die middag niet?'
'Dan is het wat rustiger, gok ik.'
Optreden voor een klein publiek was natuurlijk minder eng dan voor een volle bak, dacht Sterre. Ineens kreeg ze een ingeving. 'Zou het niet leuk zijn om voor die middagvoorstelling ook wat muziek buiten op het plein te hebben?'

Zoals elke ochtend stond meester Marius bij de ingang van zijn lokaal te wachten totdat iedereen binnen was. Zachtjes hield hij Sterre tegen, toen ze langs hem naar binnen wilde lopen.
'Goedemorgen Sterre. Hoe is het met je?'
'Goed!'
'Mooi zo. Heb je het verteld aan je ouders?'
Ze knikte.
'Hoe reageerden ze?'
'Prima,' zei Sterre. 'De première gaat gewoon door.'
'Is dat alles?'
'Ze vonden de poster mooi. En ze weten nu dat ik beter kan zingen en letters maken in plaats van toneelspelen.'
'Bravo! Goed gedaan.'
Sterre haalde haar schouders op. 'Doreen komt trouwens vandaag niet. Haar moeder moet weer naar het ziekenhuis,' zei ze. 'Ik moest het doorgeven. Ze belde me er vanochtend over op. Ik denk dat ze de conciërge ook heeft gebeld.'
'Aha. Dank je wel.' Meester Marius keek zorgelijk.

Op dat moment kwam Marit binnen stuiven. 'Sorry dat ik zo laat ben, lieve mees!' gilde ze. 'Doreen komt vandaag niet. Dat moest ik even doorgeven. Ik denk dat ze weer de hele nacht niet heeft kunnen slapen.' Voordat ze op haar eigen stoel ging zitten, liep ze langs het tafeltje van Sterre en siste: 'En dat komt

door jou, sufkip! Die nachtelijke telefoontjes van jou halen haar compleet uit haar ritme!'
'Bemoei je met je eigen zaken,' fluisterde Sterre, zo hard als ze kon.
'Ik "bemoei" me niet,' fluisterde Marit nijdig terug. 'Ik toon belangstelling. Ik bel mijn hartsvriendin elke dag, nu ze het zo zwaar heeft met de hoofdrol!'
Loop naar de maan, dacht Sterre. Zoek een andere melkweg. Ga belangstelling tonen voor marsmannetjes en ufo's of zoiets, maar bemoei je niet met Doreen, die juist kickt op de rol met de zangsolo, maar het bijna niet volhoudt, omdat haar moeder zo ziek is. Ze slikte alles in en zei niets. Nu nog niet.
'Oké, musicalsterren,' riep de meester en hij klapte in zijn handen. 'We gaan beginnen. Vandaag gaan we de hele dag repeteren. Het is jammer dat Doreen er niet is maar misschien kan...' hij pauzeerde even en keek Sterre vragend aan, 'jij haar stand-in zijn?'
'Sterre? Zij kent Doreens tekst toch helemaal niet?' riep Marit verontwaardigd. 'Ik kan het beter doen. Ik heb heel vaak met Doreen geoefend.'
De meester aarzelde.
Marits hoofd was rood van opwinding, de blonde lok voor haar ogen glinsterde van de haarlak en haar lange oorbellen rinkelden vinnig.
Rustig blijven, zei Sterre tegen zichzelf. Rustig blijven en de waarheid zeggen. 'Toen ik ziek was, heb ik in bed best veel geoefend, mees. Ik ken alle liedjes uit mijn hoofd en de tekst,' ze aarzelde even, '... ook. Denk ik. Niet zo goed als Doreen natuurlijk, dat niet.'
Meester Marius stak zijn duim omhoog.

'Hallo allemaal!' riep Sterre. Het was de eerste zin van Jola in de

scène die ze nu speelden. Ze hoorde een bibber in haar stem.

'Tsssss,' deed Marit vlak achter haar. 'Loser! Je kunt er geen bal van!'

Niets van aantrekken, het is maar een repetitie, hield Sterre zichzelf voor. Ze ademde een keer diep in en uit, deed haar schouders naar achteren, rechtte haar rug en repeteerde alsof haar leven ervanaf hing. Af en toe voelde ze de jaloerse blikken van Marit in haar rug of hoorde ze haar iets onaardigs zeggen. Nou en? Het boeide niet; het ging goed!

Om vijf voor drie zat de hele klas moe maar voldaan op het podium. Sterre was een beetje schor en ze had hoofdpijn. Toch voelde ze zich geweldig. Ze had niet één fout gemaakt!

'Wat een goede repetitie weer,' glunderde meester Marius. 'Dank je wel, Sterre en wat knap dat je vandaag Debby én Jola hebt gespeeld en alle liedjes mee hebt gezongen. Ik ben trots op zo'n stand-in!'

Sterre voelde haar wangen gloeien. De hele klas applaudisseerde. Behalve Marit.

Eindelijk was het weekend en had Sterre geen huisarrest meer. Ze trok de deuren van het TDS achter zich dicht en stak over naar het plein. Ze liep naar de oude waterpomp en ging er tegenaan zitten met haar gezicht in de zon. Doreen had net gebeld dat ze onderweg was. Ze zouden samen boodschappen gaan doen. Doreen voor haar moeder en Sterre om de kaartjes voor de try-out te verdienen. Boodschappen doen vond ze saai, maar met Doreen werd alles vanzelf een feest, dus ze had er zin in. Bovendien kon ze hier bij de pomp opletten of Jim toevallig voorbij liep. Of fietste. Of reed in de bus. Met of zonder gitaar, mobiel, goed of slecht humeur. Ze wilde hem zo graag weer zien. Ze wilde hem haar plan vertellen.
'Hee Ster!' Doreen kwam het plein op.
'Ha Do!'

'Ik eerst!' riep Doreen, zodra ze de supermarkt binnenkwamen. Ze rende naar de karretjes, trok er een uit de rij en sprong erin. 'Wissel na het tweede gangpad!'
Het was heerlijk om met Doreen door de winkel te sjezen. 'Terug naar de groenten,' riep ze toen ze al voorbij de zuivel waren. 'We zijn de bloemkool vergeten!' Sterre keerde de kar en

racete terug naar de groenten. 'Joehoe!' riep Doreen. 'Ik voel me net de koningin in de gouden koets.' Bij de jam zei ze: 'Terug naar het vlees! We zijn de kippenpootjes vergeten!'
Doreen wees alles aan wat ze wilde hebben en Sterre pakte het uit de schappen en legde het in het karretje. 'Deze?' zei ze en pakte een stuk kaas.
'Nee, die kleinere,' wees Doreen.
'Hier zit maar drie ons in. Is dat niet te weinig?'
Doreen schudde haar hoofd. Ze keek opeens ernstig. 'Nee joh. Mam eet toch niks.'
'Zullen we anders nog wat sinaasappels meenemen? Die zijn lekker en gezond!' opperde Sterre.
Doreen schudde haar hoofd.
'Soep? Crackertjes? Yoghurt?'
'Ze heeft nergens zin in.'
Sterre zuchtte. 'Rottig, zeg. Ik wou dat ik met je mee kon naar huis. Dan kon ik je moeder tenminste even zien en een bosje bloemen geven of zoiets.'
Doreen knikte. 'Lief. Soms ben ik zo bang dat het niet meer over gaat, Ster. Dan wil ik niet meer naar school, omdat ik bang ben dat ze er niet meer is als ik thuiskom. Ik kon er soms niet van slapen.'
Sterre knikte. 'Vreselijk!'
'Pap heeft me die iPhone gegeven, zodat ik mam altijd kan bellen en zij mij. Ook als ze straks in het ziekenhuis ligt. Dat helpt een beetje. Nu slaap ik iets beter.'
'Waarom mag eigenlijk niemand het weten?'
'Ze schaamt zich. En ze wil niet dat mensen haar zielig gaan vinden. Maar meester Marius weet het wel. Papa wilde dat per se, voor mij.'
Sterre knikte. 'Ik hou het geheim.'
'Ik heb haar verteld dat jij het weet,' zei Doreen zacht.

'En wat vond ze daarvan?'
'Ze snapte wel dat ik het aan iemand kwijt moest. Maar ze wil liever niet dat je bij ons komt.'
'Eigenlijk hoef je je toch niet te schamen voor iets waar je niks aan kunt doen?'
Doreen haalde haar schouders op. 'Mama blijkbaar wel.'
Sterre dacht aan haar eigen gepieker van de afgelopen tijd. Kon je je gedachten en gevoelens maar regisseren, zoals een toneelstuk. Kon je maar zeggen: deze gedachte verplaatsen we naar een ander bedrijf, want die komt nu niet van pas. Of: die gedachte denken we blij en die denken we rustig en kalm en beheerst. En die scène met die andere gedachte en dat andere gevoel? Schrappen!
Het kon niet. Ze deden precies waar ze zin in hadden, die gedachten en gevoelens. Ze improviseerden erop los.
'Wat kunnen we doen om je moeder weer blij te maken?' vroeg ze. 'Behalve boodschappen?'
'Ze wil rust, rust en nog eens rust,' zei Doreen. 'Wegblijven, dus.'
'Komt ze wel kijken naar de première?' vroeg Sterre. 'Of ligt ze dan nog in het ziekenhuis?' Ze moest er niet aan denken dat Doreen op het podium perfect stond te acteren en dat haar moeder het niet zag. 'Als ze niet kan komen, vraag ik mijn vader wel of hij wil filmen.'
'Hoeft niet,' zei Doreen. 'Ze komt, heeft ze gezegd. Wat er ook gebeurt, ze is erbij. Ze heeft het beloofd.'
'Wilde je daarom de rol van Jola zo graag?'
'Tuurlijk, wat denk je! De vrijdag voor de audities hoorden we dat ze ziek was. Ik dacht: ik wil voor mama die rol! Misschien gaat ze wel... wat ik net al zei...'
'Je moeder vindt het vast geweldig als ze jou op het podium ziet stralen als een ster. Ik ben supermegavetkapot blij dat jij Jola speelt en niet ik.'

Sterre betaalde en met volle tassen liepen ze de winkel uit.

'Wat zullen we doen als we de boodschappen hebben thuisgebracht?' vroeg Doreen. 'Ik wil het liefste meteen weer weg.'
'Jammer dat we niet bij jou kunnen spelen,' zuchtte Sterre. 'Ik heb wel zin in een paar Salto's Van Geluk op de trampoline.'
'Ik ook,' zei Doreen.
'Ga je nog elke dag op de trampo?'
'In mijn eentje is er niks aan.'
Ze stonden voor het huis van Doreen. Haar moeder werkte graag in de tuin. Er bloeiden altijd bloemen, er stonden altijd leuke potten met fleurige planten. Nu was alles kaal en dor. Alle gordijnen waren gesloten.
Sterre snapte heel goed dat Doreen geen zin had om thuis te zijn.
'Zullen we zo naar de dijk gaan? Lekker uitwaaien?' zei Doreen. 'Misschien zien we Jim wel.'
Was het maar waar, dacht Sterre. Dat zou fantastisch zijn!
'Jim is van het toneel verdwenen,' zei ze somber. 'Voorgoed.'
'Niet zo overdrijven, Sterre Drama Queen,' zei Doreen. 'We gaan 'm gewoon zoeken. Zo gemakkelijk komt 'ie niet van je af. En van mij ook niet.'

Een half uurtje later liepen ze richting de dijk.
De haven was toch de eerste plek waar ze zouden gaan zoeken. Waar anders?
'Woont Jim eigenlijk hier in de buurt?' vroeg Doreen. 'Hij kan natuurlijk ook in een andere plaats wonen.'
'Nee. Hij woont hier ergens. Dat weet ik zeker, want hij kwam hier altijd lopend naartoe. Het zou te gek zijn als we hem vinden. Dan kan ik hem meteen wat vragen.'
Jim zat niet op het bankje bij de haven.

'En nu?' vroeg Doreen. 'Zullen we door de wijk achter de haven gaan lopen? We gluren gewoon overal naar binnen. Wie weet zien we hem wel.'
Ze zochten overal, de hele dag. Verschillende keren liepen ze over de dijk en naar de haven. Ze slenterden door alle straatjes in het centrum en gluurden overal naar binnen. Ze gingen naar de nieuwbouwwijk aan de andere kant van de haven en het centrum en deden daar hetzelfde.
Ze vroegen aan de postbode: 'Bezorgt u wel eens post bij iemand die Jim heet? Daar zijn er vast niet zoveel van.'
De postbode had geen idee.
Ze vroegen het aan een wijkagent. 'Kent u iemand die Jim heet en heeft u hem pas geleden nog gezien?'
'Is hij vermist?' vroeg de agent.
'In zekere zin,' zei Sterre. 'Of hij thuis wordt vermist, weet ik niet, maar ik heb hem al een paar dagen niet meer gezien.'
De agent gaf hun een telefoonnummer dat ze altijd konden bellen voor meer informatie.
'Denk je dat hij van huis is weggelopen?' vroeg Doreen.
Sterre haalde haar schouders op. 'Weet ik veel. Zo goed ken ik hem niet. Maar dat hij overal genoeg van had, was duidelijk. Ook van mij.' Ze zuchtte. 'Ik moet hem vinden, Doreen. Misschien kan ik hem helpen. Als hij tenminste naar me wil luisteren.'
'Tuurlijk wil hij naar je luisteren. Hij was gewoon niet zo chill, toen je hem voor het laatst zag. Hij had een joekel van een baaldag of zoiets. Die gaan wel over!'
'Ja ja... Dat zeg je altijd.'
'Het is ook zo! Hij zou echt geen gitaar voor je hebben gespeeld en gezegd hebben dat je goed kon zingen, als hij je niet leuk vond. Een gozer zegt zulke dingen niet zomaar!'
Sterre grinnikte. 'Wat weet jij er opeens veel vanaf.'

'Waarvan? Van de liefde? Dat komt door mijn rol van Joladepola, natuurlijk,' zei Doreen met haar acteerstem. Ze keek erbij alsof ze Jola was. 'Johoholala!'
'Jodelahitie!' jodelde Sterre.
Ze zochten totdat het donker werd, ze allebei hees waren van het kletsen en lachen en rammelden van de honger. Maar Jim was en bleef weg.

In de kleedkamer

Sterre stond gebukt voor de deur van de kleedkamer en keek ademloos door het sleutelgat. Ze had twee cd's in haar handen die ze van haar zakgeld had gekocht en in haar broekzak zat een zwarte stift. Daarbinnen zat Jade zich voor de grote spiegel op te maken. Vanuit de zaal klonk geroezemoes van het publiek. In gedachten voerde Sterre een gesprek met Jade. 'Ik heb al uw cd's,' zei ze. 'En vorig jaar ben ik met Doreen en haar moeder naar een concert van de band geweest waar u toen nog in het achtergrondkoor zong. Ik moest huilen bij het laatste nummer. Ik vind u de beste zangeres van de wereld! En de jongen op wie ik verliefd ben, vindt u ook kapot goed!' In gedachten ging het prima, zo'n gesprek.
Sterre zag hoe Jade gekke bekken trok. Dat doet ze vast om haar spieren te ontspannen, dacht ze. Ze wist best dat gluren niet netjes was, maar ze kon het niet laten. Nu ademde Jade een keer heel diep in en weer uit. En nog eens. Ze is nerveus, dacht Sterre. Zo doen alleen mensen die nerveus zijn. Topsporters op tv vlak voordat het startsignaal klonk, zangers en dansers die meededen aan een talentenjacht vlak voordat ze op moesten... Uit een koffertje dat voor haar op de kaptafel stond, pakte Jade een kohlpotlood. Ze tekende een zwarte lijn rond haar felgroene ogen. Heel precies. Eerst de onderkant en daarna de bovenste oogleden. Ze begon in het midden. Vanuit het midden trok ze de lijn naar buiten en daarna nog een stukje naar haar neus.

Haar hand trilde een beetje.
'Sterre!'
Dat was pap. Hij stond achter Sterre met een groot kledingrek en wuifde dat ze opzij moest gaan. 'Gaat Jade dat vanavond allemaal aantrekken?' fluisterde Sterre. Verbaasd keek ze naar alle jurkjes, broeken en tuniekjes, kettingen en sjaaltjes die aan het rek hingen.
'Daar bemoei ik me niet mee, Ster,' zei haar vader. 'Ik zet het alleen maar klaar.' Zachtjes klopte hij op de deur. 'Jade?'
Er klonk wat gestommel en toen stak Jade haar hoofd om de hoek van de deur.
Sterre hield haar adem in. Als ze zou willen, zou ze Jade kunnen aanraken. Zo dichtbij was ze! Ze rook haar parfum.
'Hier is je kledingrek,' zei vader. 'Kan ik nog een kop koffie of thee voor je halen?'
'Heel graag, dank je,' zei Jade. 'Een kopje koffie kan ik wel gebruiken.'
Ze knikte vriendelijk naar Sterre.
Ze kijkt naar me, dacht Sterre. Ze kijkt naar me! Haar ogen zijn in het echt nog veel lichter dan op de poster. 'Ik zet wel even koffie, pap,' zei ze vlug en ze vloog het halletje in.

'Heb je haast?' vroeg de pianist aan de muur.
'Dat ziehiehiehiehie je toch?' zong een operazangeres met een enorme parelketting om haar hals en een zwarte pukkel op haar wang.

In de keuken graaide Sterre het allermooiste kopje uit de kast. Zette daarna de allerlekkerste koffie. Boende een zilveren lepeltje tot het glom. Vond nog een bonbon in de kast en een perfecte krakeling waarvan geen stukjes waren afgebroken. Legde zoetjes, witte en bruine suikerklontjes op een apart schoteltje.

Klopte warme melk totdat 'ie bijna over de rand van het pannetje heen schuimde en goot dat in een klein kannetje. Viste een roos uit de bloemvaas op de keukentafel, knipte de steel korter en zette hem in het kleinste glaasje dat ze kon vinden. Toen zette ze alles bij elkaar op een dienblad, klemde de cd's onder haar oksel en liep de trap af het halletje in, negeerde een papegaai op een poster die snerpend 'lekkerrrrr bakkie koffie! Lekkerrrrr bakkie koffie!' riep en klopte zachtjes op de deur van de kleedkamer.
'Ah! Mijn koffie! Mooi zo. Zet daar maar neer.' Jade wees naar de kaptafel. Sterre had het gevoel alsof ze voor het eerst de kleedkamer binnen ging. Dit was niet het lege, stille hokje waar zij met Doreen een ontelbaar keren had gespeeld dat ze beroemde wereldsterren waren en zich moesten opdoffen voor een voorstelling; dit was de kleedkamer van Jade en dat kon je aan alles merken. Het rook er heerlijk, het kledingrek vulde de muur tegenover de spiegel, een gitaar lag nog in de hoes op de grond, op de kaptafel stond een handtas en lag de make-up van Jade uitgespreid, op de kruk lag een stapel liedteksten met daar bovenop een boek. *Faalangst. Een kwestie van lef,* was de titel. Verbaasd staarde Sterre naar het boek.
'Soms word ik gek van de zenuwen,' zei Jade. Ze pakte het boek van de kruk en stopte het in haar handtas. 'Maar vandaag gaat het best goed. Wat heb je eigenlijk onder je arm? Een cd?'
'Ja. Nou ja, eigenlijk zijn het er twee. Van jou, u bedoel ik. Ik eh...'
'Geef maar,' zei Jade. 'Ik signeer ze wel even.' Ze stak haar handen uit en pakte de cd's aan. 'Eentje voor jezelf, neem ik aan en voor wie is die andere?' Ze grabbelde in haar tas.
'Zoekt u een pen? Die heb ik,' zei Sterre en ze pakte de stift uit haar broekzak. 'Ze zijn allebei niet voor mij. De ene is voor mijn beste vriendin, Doreen heet ze. Doreen van Soest.'

Jade schreef haar handtekening op de cd.
'Voor wie is de andere?'
'Voor Jim.'
'Je vriendje?'
'Eh...'
'Je ex-vriendje?'
'Een soort van vriend.'
'Een soort van vriend? Dat klinkt ingewikkeld.'
'Dat is het ook.'
'Weet je wat wel leuk is aan ingewikkelde vrienden?'
Sterre schudde haar hoofd.
'Je kunt er zo fijn liedjes over schrijven en zingen. Deze hele cd staat er vol mee,' grijnsde Jade. 'Hoe heet je?'
'Sterre.'
'Je ogen zijn mooi groen, Sterre. Bijna jade. Maak je ze nooit op? Daar ben je zeker nog te jong voor, hè? Onthoud het maar voor als je wat ouder bent: grijs is je kleur. Daar kun je ze mee laten knallen. En zwart, natuurlijk. Maar nu moet ik opschieten. Ik moet me nog helemaal voorbereiden op straks. Ik ben nogal perfectionistisch, snap je? Er mag niks misgaan! Iedere noot moet loepzuiver zijn.' Ze deed de deur open voor Sterre. 'Nogmaals dank voor je heerlijke koffie.' Ze grabbelde in haar tas. 'Hier. Neem voor jezelf ook een cd. Deze is al gesigneerd.'

Sterre stond in de coulissen. De gordijnen waren nog dicht, maar Jade was al op het podium. Er stond een krukje met haar gitaar op een standaard ernaast en een microfoon erbij. Dat was alles. Jade ijsbeerde heen en weer. Ze knakte haar vingers, deed ademhalingsoefeningen en rolde haar hoofd van haar linker schouder naar haar rechter en weer terug.
Misschien heeft ze nu dus faalangst, dacht Sterre. En is ze nerveus, onzeker, bang. Bang dat ze haar teksten vergeet, dat ze vals zingt, dat er een snaar springt, dat het licht niet goed staat afgesteld, dat het geluid uitvalt. Ze dacht aan haar eigen mislukte auditie. Ze dacht aan wat Jim had opgeschreven over de voorspeelmiddag in de muziekschool en zijn hoofdrol in de eindmusical. Zou zijn keelontsteking alweer over zijn? Ik moet hem zo snel mogelijk vinden, dacht ze. Waar kon hij toch zijn?

Jade nam plaats op haar kruk en knikte naar de coulissen aan de andere kant. Daar stond haar vader, wist Sterre. Ze zag hem niet, daarvoor was het veel te donker. Met het knikje gaf Jade aan dat ze er klaar voor was. De gordijnen konden worden opengeschoven, het optreden kon beginnen.
Sterre schrok elke keer weer van het felle licht van de podiumlampen. In het begin werd je daardoor zo verblind dat je nauwelijks het publiek in kon kijken. Dat zou ze na het weekend

even tegen meester Marius gaan zeggen. Het was belangrijk dat alle kinderen in de klas voor de première wisten hoe het zat met het licht en dat ze niet allemaal de hele voorstelling hun ogen zouden dicht knijpen.
Er werd geapplaudisseerd.
'Jongedame Ster,' fluisterde haar vader, hij was achter haar komen staan, 'ga je zo naar boven? Jij ziet dit allemaal nog een keer met Doreen, weet je nog wel?'
Sterre knikte. 'Ik ga zo, pap.'
Het eerste nummer zong Jade met haar ogen dicht. Het was prachtig. Over de liefde dus, dacht Sterre. Je kon inderdaad horen dat het geen gemakkelijke liefde was. Toen het nummer was afgelopen en de zaal een oorverdovend hard klapte, deed Jade pas haar ogen open. Sterre volgde haar blik de zaal in en geloofde haar ogen niet. Achterin ging de deur op een kier open. Er glipte een jongen naar binnen. Hij had een muts op. Sterre herkende hem direct. Jim!

Op haar tenen sloop Sterre zo snel mogelijk weg uit de coulissen, naar de foyer in de richting van de zaaldeuren. De deur van haar moeders kantoor stond open en het licht brandde. Ze was dus nog aan het werk. Zo zacht mogelijk liep Sterre in de richting van de zaaldeuren. Mam mocht niet merken dat ze nog beneden was. Dan zou ze een smoes moeten verzinnen. Daar had ze geen zin meer in. Of ze zou moeten uitleggen dat Jim in de zaal was en... ook geen zin in. Ineens bedacht ze dat ze de cd voor Jim niet meer bij zich had. Die lag nog boven in de keuken op het dienblad met het lege koffiekopje van Jade. Stom! Als een haas vloog Sterre de trap op. Net toen ze in de keuken kwam, ging de telefoon.
Het was Marit.
'Haai Sterre.'

'Hoi.'
'Wat was je aan het doen?'
'Oh eh... ik was beneden.'
'Werk jij 's avonds? Dat mag officieel niet, als je nog maar twaalf bent. Daar krijgen je ouders problemen mee.'
'Ik werk niet. Waarvoor bel je?'
'Ik wil even zeggen dat Doreen de komende tijd niet met je kan afspreken. Ik weet dat jullie af en toe weer afspreken, maar dat gaat nu dus even niet.'
'Hoezo niet?'
'Wat denk je, Pippi Langkous? Ik ga allemaal leuke dingen met haar doen, natuurlijk!' Marit klonk alsof het de normaalste zaak van de wereld was.
Sterre had het gevoel dat iets in haar hoofd knetterend aan en uit flitste als een lamp die kapot ging. 'Hou Toch Eens Op!' gilde ze veel te hard.
'Wordt er beneden opgetreden, dan boven geluiden doven,' was een spreekwoord dat haar ouders speciaal voor het TDS hadden verzonnen.
Ze verbrak de verbinding, graaide de cd van het dienblad en sprong met twee treden tegelijk van de trap naar beneden. Ze zou in de foyer wachten tot het pauze was en iedereen naar de bar ging voor een drankje. Dan zou ze naar Jim toe lopen, de cd aan hem geven en haar plan vertellen. Ongeduldig wachtte ze. Ondertussen overdacht ze het telefoongesprek van zojuist. Waarom deed Marit toch zo stomvervelend?

In het kantoortje gingen de lichten uit, moeder kwam de foyer in. 'Hé, ben je nog op?' vroeg ze. Ze knikte met haar hoofd in de richting van de zaaldeuren. 'Ik hoop dat het goed gaat in de zaal,' zei ze met een zorgelijk gezicht. 'Zojuist liep er al iemand de deur uit. Een jonge jongen nog.'

Sterre sprong op en rende op haar tenen weer de coulissen in. Ze tuurde de zaal in, maar ze kon Jim niet meer vinden. Met een knoop in haar maag ging ze naar bed.

Voorprogramma

'Wat gaat ze doen met al die make-up op haar snoet?' vroeg een kalende violist.
'Jim zoeken,' zei Jade vanaf haar gloednieuwe poster. 'En vinden! Daarom heeft ze haar ogen een beetje opgemaakt. Speciaal voor hem. Wat is daar mis mee?'
'Pardon? Dat hangt hier net en doet alsof ze alle ins en outs van de theaterbewoners al kent!' bromde de oudste poster.
'Wacht maar af,' zei Jade. 'Je zult zien dat ik gelijk heb.'

Sterre negeerde het geroddel aan de muur. Snel liep ze naar de haven. Het plastic tasje met de cd van Jade en een brief van haarzelf erin tikte bij iedere pas tegen haar dijbeen. Ze speurde om zich heen, sloeg allerlei zijweggetjes in en maakte een enorme omweg, in de hoop hem ergens tegen te komen. Ze moest en zou Jim vandaag vinden; volgende week zou hij kunnen optreden op het plein voor het TDS en dat wilde ze hem vertellen. Ze wilde hem de cd geven die Jade voor hem had gesigneerd. En ze wilde hem gewoon zien. Hoe zou het met hem gaan? Wat was er in de tussentijd met hem gebeurd? Zou hij echt geen gitaar meer spelen? Ze liep de dijk op. Het was er druk.
De wind waaide door haar haren en de zon scheen op haar gezicht. In de verte was de haven.
Met grote stappen liep Sterre er naartoe. Ook daar was het

druk. Boten werden geverfd en uit kleine geluidboxjes schalde muziek. Alle bankjes waren bezet.
Besluiteloos bleef Sterre stilstaan.
Hij was er niet. Alweer niet. Nog steeds niet. Foetsie for ever, dacht ze. Ze werd verdrietig en boos tegelijk. Ze had zo gehoopt dat ze hem hier zou vinden! Dat ze hem zou kunnen overhalen weer te gaan optreden. Ze wilde hem zo graag weer zien... Ze schopte tegen een steentje, draaide zich om en begon terug te lopen.
Ik lijk wel gek, dacht ze. Hoort dat soms ook bij verliefd zijn? Dat je idiote dingen gaat doen? Dat je telkens weer gaat zoeken naar iemand die duidelijk heeft gezegd dat hij je niet meer wil zien? Weer schopte ze tegen een steentje. Tik! Sterre werd nijdig. Stomme Jim! Weer een steentje. Tik! Bekijk het ook maar, dacht ze. Tik!

Er rolde er een steentje voor haar voeten. Zo hard mogelijk schopte ze het weg. Tik! Zachtjes kwam het steentje weer terug gerold. Het stopte precies voor haar voeten.
'Perfecte pass,' zei een stem. Een stem die ze lang niet gehoord had.
Ze keek op. 'Jim?'
'Hoi,' zei hij. Verlegen krabde hij aan zijn muts.
'Je bent er weer!'
Jim knikte en haalde diep adem.
'Zullen we hier in het gras gaan zitten?'
Dat deden ze.
Sterre wist niet wat ze moest zeggen. Op dit moment had ze zich enorm verheugd, ze had erover gefantaseerd en het voor de spiegel gerepeteerd. Ze beet op haar onderlip.
'Ik heb een brief,' zei Jim.
'Ik ook,' zei Sterre verrast.

Ze glimlachten en zwegen. Het suisde in Sterres oren. Ze zat weer naast Jim! Eindelijk. Hij had een brief voor haar en zij voor hem! Wat zou erin de zijne staan? Ze knapte haast van nieuwsgierigheid. Haar eigen brief durfde ze nog niet te geven.
'Waar was je?' vroeg ze.
Jim haalde zijn schouders op en nam een hap lucht. 'Even weg.'
'O. En je gitaar?'
'... Onder mijn bed.'
'Aha.' Sterre aarzelde. Jim zag er niet bepaald uit alsof hij zin had om op het plein voor het TDS een optreden te geven. Ze pakte de cd uit haar tas.
'Hier. Voor jou. Hij is gesigneerd.'
'Cool!'
'Ik eh... Jade trad bij ons op, gisteravond. Ik woon boven Tussen De Schuifdeuren.'
Jim knikte.
'Ik bracht haar koffie en ik nou ja... ik vertelde dat jij een fan van haar bent en toen heeft ze deze cd voor je gesigneerd.'
'Echt?' zei Jim zacht. 'Wow! Thanks, Ster.'
'Jij was er ook, hè?'
'Eh... ja.'
'Waarom ging je zo snel weg?'
'Mijn beste vriend sms'te iets belangrijks. Ik wilde hem meteen bellen. Daarom ging ik.'
'Aha.'
Het was even stil.
'Jim?'
'Hm?'
'Wil je zaterdagmiddag alsjeblieft op het plein voor het theater nummers van Jade op je gitaar spelen?' Sterre voelde haar hart in haar keel kloppen toen ze het vroeg. 'Dan heeft ze weer een try-out bij ons. Jij mag in het voorprogramma en ik ga hapjes

serveren. Doe je het?' Ze hield haar handen boven haar ogen tegen het zonlicht en durfde bijna geen adem te halen. Please, dacht ze, zeg ja. Zeg ja!

Jim had een lange grasspriet in zijn mond gestoken en keek nadenkend over het water. Het leek uren te duren. Uiteindelijk zette hij zijn muts af, woelde met zijn handen door zijn haren en zuchtte diep.

'Oké dan,' zei hij. 'Ik doe het.'

'Gaaf!' zei Sterre. Ze kon wel gillen. 'Mag ik je nog wat vragen?'

Jim knikte aarzelend.

Sterre slikte. 'Kom je kijken naar de première van mijn musical? Die is ook in Tussen De Schuifdeuren.'

'Sterre op het grote podium!'

Sterre grinnikte. 'In het achtergrondkoor nog wel.'

'Stoer.'

'Nee joh. Stelt niks voor en toch vind ik het eng. Maar als jij weer durft op te treden, durf ik het ook.'

Jim maakte een vuist. 'Boks!'

Ster drukte haar vuist tegen de zijne. 'Boks!'

Toen pakte Jim de brief uit zijn broekzak. 'Alsjeblieft.'

Hoi Ster,

Sorry dat ik zo... stom deed de laatste keer dat we elkaar zagen. Ik zal het proberen uit te leggen:

Ik had een hele goede vriend op de basisschool. Daan. We waren altijd samen. Hij drumde en kon zo goed moppen tappen dat ik altijd pijn in mijn wangen kreeg van het lachen. Vlak na de Citotoets en de audities voor de eindmusical gingen zijn ouders scheiden. Van de ene op de andere dag, leek het wel. Daan verhuisde met zijn moeder en ik bleef alleen achter. Zo voelde het. Dat was de dag voor de voorstelling. Daan was er niet bij, tijdens de première. Het was te ver rijden, vond zijn

moeder. Balen. Die voorstelling mislukte, dat had ik je al verteld. Helaas was dat niet het enige. Na de zomer bakte ik er niks van in de brugklas op mijn nieuwe school. Ik voelde me rot. Toen ging ik ook nog stotteren. Steeds erger. Ik wilde niet meer praten. Ik durfde het niet meer. Die keelontsteking was dus gelogen.
Na Daans verhuizing speelde ik heel veel gitaar. Dan kon ik alles vergeten. Maar toen ik tijdens de voorspeelmiddag zo slecht in vorm was, dacht ik: stik allemaal maar. Ik ga naar Daan.
Ik ben vertrokken zonder dat mijn ouders het wisten. Met de trein. Het was gaaf, maar ook niet. Hij leidt daar nu zijn eigen leven. Hij vond die verhuizing ook niks, maar ging daarginds meteen weer op drumles en vertelde op de eerste schooldag drie schuine moppen... hij had zó weer nieuwe vrienden. 'Je moet toch verder,' zegt hij altijd. Soms klinkt hij als een ouwe opa, die gast :-). Maar hij heeft gelijk.
Ik heb de volgende dag mijn ouders gebeld. Ze waren eerst vet kwaad. Later snapten ze het. Ik mocht van hen een week bij Daan blijven. Daarna hebben ze me opgehaald. Ik heb gesprekken gehad met mijn mentor en mijn muziekleraren (die duurden wel even door al dat gestotter, haha!). Nu zit ik op een faalangstreductiecursus (dat woord is een hel voor stotteraars) en op stotterles. Niet om er goed in te worden, maar om het af te leren. Dat is weer eens wat anders, vind je niet? Het helpt in elk geval wel.

X Jim
PS: ik heb je gemist. Heel erg.

'Zo hé,' zei Sterre toen ze klaar was met lezen. Ze wilde dat ze tien vragen tegelijk kon stellen. 'Hoe zit dat dan met die stot-

terles? En speel je nog wel gitaar? Blijven Daan en jij wel vrienden? Hoe gaat het nu verder op school?'
Jim grijnsde. Sterre kon zien dat hij een zin voorbereidde.
'Mag ik eerst jouw brief lezen?'
Sterre gaf hem haar brief. 'Het meeste weet je al, hoor,' zei ze. Terwijl Jim las, gleden haar ogen weer over de laatste twee regels uit de brief die hij voor haar had geschreven en maakte ze in haar hoofd de ene na de andere Salto Van Geluk. Telkens weer landde ze stevig op haar benen.

‘Vandaag gaan we de hele musical achter elkaar door spelen. We oefenen dus niet scène voor scène, we plakken alles aan elkaar vast,’ zei meester Marius. Hij stond midden op het podium in het TDS en alle kinderen zaten om hem heen. Sterre zat naast Doreen. Aan de andere kant van Doreen zat Marit. Ze keek chagrijnig.

‘Maar voordat we beginnen wil ik natuurlijk eerst de ouders van Sterre ontzettend bedanken.’ De meester keek de zaal in.

Sterre zag ze zitten, gezellig naast elkaar op de eerste rij.

‘Bedankt voor de rondleiding vanochtend door jullie fantastische theater en wat fijn dat we vandaag een eerste doorloop mogen doen én dat we hier over een paar weken de première hebben! Dank u wel!’ zei de meester. Hij maakte er een diepe buiging bij. Iedereen klapte.

‘Wij vinden het hartstikke leuk,’ zei Sterres moeder. ‘Als er vragen zijn, weet mijn lieve Ster ons wel te vinden.’ Ze stond op. ‘Ik ga aan het werk. Succes!’

‘Ik breng in de pauze sap en koekjes,’ beloofde Sterres vader. Ook hij stond op en ging weg.

Even later zongen ze met z’n allen:

‘Sing Sing Sing!

Dit wordt een feestje, ’t is oké!

Sing Sing Sing!
We hebben er zin in... ...olé!
Sing Sing Sing!
Al wie kan zingen, zing maar mee!
Sing Sing Sing!
Al wie kan zingen, zing maar mee!'

Sterre voelde zich vrolijk en trots. Wat was het fijn om op het podium te staan - in het theater van je ouders nog wel - en met je hele klas een mooie voorstelling te maken! Ze kon zich goed concentreren en probeerde elk lied nog beter te zingen dan het vorige. Ook Doreen stond op scherp, had er plezier in, ze straalde helemaal. Ze zag veel minder bleek dan een tijdje geleden. De enige die er schijnbaar niet zoveel lol aan beleefde, was Marit. Toen ze merkte dat Sterre naar haar keek, stak ze haar tong uit. Stom kreng, dacht Sterre. Ik ben het nu helemaal zat!

In de pauze bleef iedereen op het podium. Alleen als je naar het toilet moest, mocht je even weg. Sterre wachtte een geschikt moment af om op Marit af te stappen. Toen ze zag dat Marit naar de wc's liep, ging ze achter haar aan. Ze wachtte voor de deur, leunend tegen de wasbak en zag zichzelf in de spiegel.
Door de zon was haar gezicht al een beetje bruin en zat haar neus vol sproeten. Ze had vanochtend haar ogen een beetje opgemaakt. Haar haren had ze los laten hangen; ze had geen zin in een staart. Zulk haar als ik heb, heeft niemand in de klas, dacht ze tevreden. Marit en nog een paar meiden hadden lang blond haar; Doreen had, net als een stel jongens, heel donkerbruin haar, maar niemand had rood haar.
De wc-deur ging open. Heel even leek Marit verrast. Toen liep ze met een stalen gezicht naar de wasbak. Ze duwde Sterre opzij.

‘Ik wil graag even mijn handen wassen.’
Sterre sloeg haar armen over elkaar en rechtte haar rug.
‘Waarom loog je toen je me belde?’
‘Ik loog niet.’ Marit zette de droger aan en wapperde met haar handen.
‘Welles,’ zei Sterre hard. Ze somde op: ‘Doreen was het hele weekend gewoon thuis, bij haar vader en moeder. Zaterdag hebben we samen boodschappen gedaan en zondag heeft ze in de tuin boekjes gelezen, in haar eentje trampoline gesprongen en ze hebben gebarbecued met haar oma. ’s Avonds hebben we tot heel laat gechat. Dus: je loog. En daarnet stak je zomaar ineens je tong tegen me uit. Hoe oud ben je eigenlijk? Een jaar of drie? Doe normaal, zeg!’ Toen deed ze haar handen in haar broekzakken en liep weg. Haar hart bonkte in haar keel. Dat ze dat gedurfd had!

'Ik vind het zo'n raar idee dat Jade nu in de kleedkamers zit, een paar meter bij ons vandaan en dat ze zo meteen optreedt op dit podium waar wij binnenkort onze première hebben,' zei Doreen. Ze ijsbeerde over het podium en tuurde de zaal in. 'Tof dat wij straks op de eerste rij mogen zitten. Ik hoop echt dat mijn ouders tijdens de première ook op de eerste rij zitten.'
'Dat gaan we regelen,' zei Sterre. Ze zat op het krukje waar Jade zo meteen op zou zitten, tijdens haar optreden. 'Hoe laat is het eigenlijk?'
'Hoe dan?'
'Wat? De stoelen voor je ouders? Gewoon, we regelen dat zij de kaartjes krijgen met de stoelnummers van de eerste rij,' zei Sterre, 'simpel.'
'Cool!' zei Doreen. 'Het is vijf voor half twee.'
'Jemig, zo laat al? Ik ga kijken waar hij blijft.' Sterre sprong op. Om half twee stond het optreden van Jim gepland, als de deuren van het theater open zouden gaan voor de middagvoorstelling van Jade. Snel liep ze naar de foyer, met Doreen achter zich aan. Vader stond achter de bar koffie en thee te zetten. Moeder was aan het bellen in haar kantoor. Sterre hoorde haar lachen.
'Mag ik een stoel mee naar buiten nemen voor Jim?' vroeg ze aan haar vader.
'Tuurlijk. En neem ook een glas water voor hem mee. Of drinkt hij liever cola?'

‘Eh...’ zei Sterre. Ze wist nu best veel van Jim, maar dat soort normale dingen dan weer net niet.
‘W...water alstublieft,’ klonk het achter haar.
‘Hee! Jij komt ook altijd in die ene seconde als ik het niet verwacht!’ riep Sterre.
Jim frunnikte wat aan zijn muts en grijnsde.
Vader kwam achter de bar vandaan en gaf Jim een hand. ‘Jij moet Jim zijn. Welkom!’
Doreen was er ook bij komen staan. Ook zij gaf Jim een hand. Daarna maakte ze, achter zijn rug om zodat hij het niet zag, een rondje van haar duim en wijsvinger naar Sterre.
Oh help, dacht Sterre. Gauw wegwezen voordat mam ook nog uit haar kantoor komt en hem gaat keuren.
‘Kom op, Jim,’ zei ze.
‘Vergeet het water niet!’ riep vader.
Ze pakte het glas water van de bar en liep voor Jim uit het plein op.
‘Ben je nerveus?’
‘W...wat denk je?’
‘Ja dus. Ik snap het wel.’
Jim zuchtte.

Op het plein kwamen de eerste bezoekers voor de middagvoorstelling aangelopen. Jim stond vlak bij de pomp. Op de stoel lagen zijn gitaarkoffer en een map met songs. Het glas water had hij in een teug leeg gedronken. Nu stemde hij zijn gitaar.
Sterre stond met een groot dienblad vol met toastjes zalm en brie in haar handen naast de deur van het theater.
‘Ik hoop zo dat hij het nu niet verprutst,’ zei ze tegen Doreen.
Doreen zat naast haar op de grond. ‘Dat doet ’ie niet. De zenuwen die hij nu heeft, gaan over na het eerste nummer. Wedden?’

'Ik hoop het. Ik hoop het echt.'
'Zal ik het dienblad even dragen? Dan kun jij even gaan luisteren.'
'Dat hoeft niet,' zei Sterre. 'Ik hoor hem hier ook wel.' Dat was ook zo. Bovendien vond ze het echt niet kunnen om Doreen hapjes te laten uitdelen aan de bezoekers. Ze kon haar toch niet haar eigen kaartje laten verdienen, *zij* wilde Doreen trakteren!
Jim was heel zacht begonnen met spelen. Direct bleven er mensen staan kijken. Sterre glom van trots.
'Goedemiddag meneer en mevrouw! Hebt u zin in een overheerlijk toastje vooraf?' vroeg ze iedereen die naar binnen wilde. 'Als u wilt, blijft u nog even hier buiten luisteren naar de gitarist op het plein. We roepen u wel als Jade begint.'
Het werkte! Al gauw stond het hele plein vol met mensen.
Volle bak! dacht Sterre. Nu kan Jim eens zien dat hij volle zalen trekt.
Jim speelde het eerste nummer.
'Wow! Mooi zeg,' fluisterde Doreen in Sterres oor.
'Prachtig,' mompelde moeder.
Sterre lette er niet op, want Jim was begonnen aan het tweede nummer van Jade. Hij zong er zelfs bij!
'Je had helemaal niet verteld dat hij ook kan zingen,' zei Doreen verbaasd.
'Ik wist het ook niet,' zei Sterre. 'Ik ben net zo verbaasd als jij!'
'Stotterend zingen, bestaat dat eigenlijk?'
'Ik hoop van niet.'
Moeder kwam naast hen staan.
'Dit moet je even horen, Jade. Kijk nou toch eens met hoeveel passie en plezier die jongen jouw nummers staat te spelen!'
Doreens mond zakte open van verbazing. Sterre knipperde met haar ogen. Naast Sterres moeder stond niet alleen haar vader, maar ook Jade! Ze had een grote zonnebril op en een

hoofddoek om. Ze luisterde even en knikte. 'Knap. Hoe heet dat talentje?'
'Jim,' zei Sterres moeder. 'Toch, Sterre?'
'Sterre?' zei Jade. 'Jij was de vorige keer dat ik hier optrad bij mij in de kleedkamer, toch?'
Sterre knikte.
'Is dit de Jim over wie je het toen had?'
Sterres stem leek in rook te zijn opgegaan. Ze knikte weer.
'Die eh... soort van vriend?'
Net op tijd deden haar stembanden het weer.
'Goede vriend,' zei ze.
'Goede vriend? Goede keus!' zei Jade en ze knipoogde over de rand van haar bril heen. 'Heb je weer zo'n heerlijk kopje koffie voor me in de kleedkamer? Ik ga me nog even concentreren!'
Ze heupwiegde weg.
'Je hoort het, Ster,' zei vader lachend. 'Koffie zetten, meid! Neem dat dienblad maar meteen mee naar boven; dat is toch leeg.'

'Leuke vent, die Jim,' kirde een fluitiste op een poster met een goudkleurige dwarsfluit.
'Een echte rockstar!' mimede een mimespeler die er al jaren hing.
''t Is een zoete jongen,' zei Sinterklaas. 'Maar toen Daan verhuisde, werd hij een stuk minder braaf!'

Ik moet er niet aan denken dat Doreen zou gaan verhuizen, dacht Sterre. Ik zou geloof ik kierewiet en knotsgek worden.
In een mum van tijd had ze Jade een kopje koffie gebracht en stond ze weer buiten. Jim was bezig met zijn laatste nummer.
Moeder kwam naast haar staan. Met een bos bloemen.
'Alsjeblieft,' fluisterde ze. 'Een artiest krijgt bloemen na een

voorstelling, dat is de regel. Jij hebt Jim dit optreden bezorgd, dus jij mag ze geven!' Ze keek heel ondeugend.
Sterre kon niet protesteren, want Jim was klaar met spelen en het publiek applaudisseerde. Moeder gaf haar een duwtje in de rug. 'Toe! Ga die bloemen geven!'
Met een kop als een boei liep ze naar hem toe. Wie gaf er nu een bos bloemen aan een jongen?!
Jim grijnsde van oor tot oor. Ze gaf hem een hand - dat was ook stom, zeg! - en de bloemen. Hij had haar drie zoenen gegeven. Twee rechts, een links.

Een half uurtje later zat ze samen met Doreen op de eerste rij in de zaal. Haar wangen gloeiden nog na.
'Joehoe, aarde voor het bloemenmeisje!' grinnikte Doreen. 'Ik zou even uit die zevende hemel komen als ik jou was, want Jade gaat zo beginnen. Het is toch jammer als je dat mist.'

Aan: SuperSter@hotmail.com
Onderwerp: Marit

Liefste Ster van het universum,
Alles goed?
Wat is die cd van Jade toch mooi! Ik heb hem al tig keer gedraaid en teruggedacht aan haar optreden in het TDS. Wat was dat gaaf, zeg! Een miljoen keer dank dat ik mocht komen kijken.
Iets anders: morgen is het zover, hè? DE PREMIERE! Bwoeaaaaaahhhhh, spannend!!!
Mijn vader en moeder hebben er zooooooooveel zin in. Ik ook hoor, maar ik vind het ook eng. Heb ongeveer 41 graden plankenkoorts :-)
Wat ik je eigenlijk zeggen wilde: ik heb Marit gesproken. Ze stond vanochtend hier voor de deur. Mijn moeder lag net op de bank te rusten, dus we zijn even naar buiten gegaan. Ze begon over jou. Ik heb haar gezegd dat wij BFF's zijn en daarmee PASTABASTA. Ik geloof dat ze nu wel snapt dat ze moet ophouden jou te koeioneren (boeh!).
Tot morgen, Doremifasol

Aan: SuperSter@hotmail.com
Onderwerp: HSM

Hoi Sterre,
Je had gelijk.
Het Spijt Me. :-(
Ik zou zo graag ook een best friend willen hebben. Of zijn.
Grtjs, Marit

Aan: Marit2000@hotmail.com
Onderwerp: RE: HSM

Ha Marit,
Oké.
Ik snap het.
Maar ik ben ook aardig. Echt. Probeer maar eens. ;-)
Grtz, **

Aan: SuperSter@hotmail.com
Onderwerp: Toi toi toi

Hoi Ster,
Hoe gaat het? Al zenuwachtig voor morgen?
Ik heb er heel veel zin in en Daan ook. Kunnen wij jou eindelijk eens horen sing sing sing! :-)
Ik denk dat Daan als een baksteen zal vallen voor Doreen, dus ik neem een vangnetje mee. Hij moet zondagochtend heel vroeg al weer weg; dat is wel jammer.
Trouwens: ik heb gehoord dat het dit weekend mooi weer wordt. Zullen we zondag afspreken in de haven? 11 uur? Daarvoor heb ik gitaarles en moet ik Daan naar het station brengen, dus eerder gaat niet. Toi toi toi en lfs,
Jim

Aan: jimiplaystheguitar@gmail.com
Onderwerp: RE: Toi toi toi

Hoi Jim,
Tanx voor je leuke mail.
Zondag is goed, ik heb er zin in.
Ik heb de bibbrrrrrs voor morgen, brrrrrr! Maar ik vind het superleuk dat jij en Daan komen kijken.
Dag, ** x

Aan: Dor1_4ever@hotmail.com
Onderwerp: RE: Marit

Liefste Doreen-zoals-jij-is-er-maar-1,
Marit mailde me zojuist HSM. Volgens mij meent ze het echt. Dankzij jou!
Weet je, je bent geen BFF, maar een SBFF (superbestfriend-for ever)!
Jim mailde me ook nog om me suc6 te wensen voor morgen. Daan komt ook. Hij valt op donkere meisjes, dus als we tijdens de premiere een hele harde BOINK horen, is dat jouw schuld. :-)
Zondag hebben Jim en ik afgesproken in de haven om 11 uur. Zal ik daarna bij jou langskomen?
Misschien kan ik je helpen met wat huishoudelijke klusjes? (Ik ben heel goed in muren groen verven. Een andere kleur zal ook wel lukken, denk ik :-))
Slaap lekker, want... morgen word je een ster ;-)
High 5, **

Sterre klapte de laptop dicht en liep naar haar spiegel. Het lippenstiftlijstje stond er nog steeds op. Met een voldaan gevoel veegde ze alles weg en haalde een roze lippenstift uit haar bureaulaatje, die ze gekregen had van moeder.
'Voor creatieve spiegelmomenten,' had ze gezegd. Nu was zo'n moment. Er moest een nieuwe tekst op de spiegel komen voor morgen. Een hele korte van maar drie woorden.

Sterre zuchtte zenuwachtig en tuurde door een kier van de dikke blauwe gordijnen de zaal in. Het leek wel of al haar klasgenoten hun hele familie had uitgenodigd, want het was ontzettend druk. Op de rode loper buiten zou wel een rij hebben gestaan. De ouders van Doreen zaten in het midden van de eerste rij. De moeder van Doreen zag er best goed uit vandaag. Ze had zich opgemaakt en om haar hoofd zat een chique sjaaltje geknoopt. Jim en Daan had ze ook al gezien. Die zaten op de eerste rij van het balkon. Ook mam had haar woord gehouden: de journaliste van de krant zat ergens links in het midden. Zou ze echt over de musical gaan schrijven in de krant?
Sterres handen trilden en ze had het ijskoud. Haar hart en hoofd bonkten. Rotzenuwen!
Ze liep naar de ruimte achter de coulissen. Daar stond meester Marius nog wat laatste aanwijzingen te geven. Over een kwartiertje zouden ze gaan beginnen. Marit kwam net uit de kleedkamer. Ze keek ernstig en wenkte naar Sterre.
'Wat is er?'
'Do zit te huilen.'
Sterre schrok. Doreen huilde nooit!
'Ga jij even naar haar toe?'

‘Goed. Dank je.’
Doreen zat met haar hoofd in haar handen op een kruk. Sterre schoof wat make-up opzij en ging op de kaptafel zitten, tegenover haar.
‘Ik ben zo blij en verdrietig tegelijk,’ snikte Doreen, ‘mam zit in de zaal met zo’n debiel sjaaltje om haar hoofd en over een week hebben we zomervakantie en daarna zit ik niet meer bij je in de klas en...’ Ze keek naar Sterre en zag haar eigen gezicht in de spiegel.
‘Kijk nou! Ook dat nog!’ Haar ogen waren rood opgezwollen van de tranen en zwarte strepen mascara liepen over de poeder op haar wangen. Er zaten nog krulspelden in haar haren.
Sterre voelde een lachkriebel opkomen. Niet nu, dacht ze. Het is nu niet het goede moment voor een potje loltrappen. Ze kneep haar lippen stijf op elkaar. Het is de plankenkoorts, dacht ze. Daar wordt een mens maf van. Ze slikte.
Doreen zag het, keek in de spiegel en snikte en grinnikte tegelijk. Over maf gesproken!
‘Weet je hoe dat heet? Als je snikt en grinnikt tegelijk?’ Sterre hikte van het lachen.
Doreen dacht even na en knikte. ‘Sninniken!’
Sterre proestte het uit. ‘Ja, hahaha!’
Gierend van de lach smeerde Doreen de make-up nog meer uit over haar gezicht.
‘Mees Marius denkt dat ik zo Jola ga spelen,’ zei ze, ‘maar eigenlijk ben ik... een vampier!’
‘En ga je Danny eens even lekker in zijn nek bijten! Hihihi!’
‘Hmmm, ja, een lekker mals jongensnekje. Kom in m’n armen, Dannyboy van me!’
Stomverbaasd stond Marit in de deuropening met een glaasje water in haar handen.
‘Ik dacht, ik haal even een glas water. Daar knap je van op. Maar

het is niet meer nodig, zie ik?'
'Ik lust geen water,' piepte Doreen, 'heb je niets iets bloederigers?'
Sterre veegde de tranen uit haar ogen.
'Ik lust wel een slokje. Misschien zakt de koorts dan wat.'
Nu keek Doreen ook verbaasd.
'Ben je ziek?'
'Laat maar,' zei Sterre. Ze dronk het glas in een teug leeg en zette het met een klap op tafel. 'Kom op! Je ouders zullen genieten,' zei ze tegen Doreen. 'Je moeder gaat vast helemaal uit haar dak als ze je straks op het podium ziet.'
'De jouwe ook,' zei ze tegen Marit.
Met gestrekte arm maakte ze een vuist. 'Friends for ever?'
'Friends for ever,' zeiden Doreen en Marit en ze boksten hun vuisten tegen elkaar.
Meester Marius klopte en stak zijn hoofd om de hoek van de deur. 'Dames, dames! We gaan zo beginnen! Ik ga nu het podium op om de zaal toe te spreken en dan is het zover. Sterre, ga als de wiedeweerga op je plek staan in de coulissen en Marit, help jij Doreen nog even met haar make-up. Concentratie, alsjeblieft!'

Sterre vloog de coulissen in. In haar buik kronkelden de zenuwen weer over elkaar heen. Haar mond was krukdroog. Ik kan het wel, dacht ze. Ik ben alleen maar zenuwachtig, dat is alles. Beetje plankenkoorts, meer niet.
Ik kan het.
Ik ben er goed in.
Vier zinnetjes opzeggen.
Liedjes zingen.
Gewoon rustig blijven.
Het is een kwestie van lef.

Meester Marius stond voor de nog dichte gordijnen. Hij sprak de zaal toe.
'Hooggeëerd publiek, geef ze een warm applaus!'
Het doek ging open.
De première was begonnen.

'Bis! Bis!' werd er geroepen in het publiek. Er klonk gefluit, gejoel en een oorverdovend applaus. Het zat erop, de musical was voorbij. De lampen gingen aan. Ze bogen met z'n allen. En nog een keer. En nog een keer.
Sterre zag de ouders van Doreen glunderen op de eerste rij. Haar moeder pinkte een traantje weg.
Haar blik dwaalde af naar het balkon. Ze zag Jim meteen. Hij had een bos bloemen onder zijn armen, klapte heel hard en stond op. Daan ook. Na hem stonden direct meer mensen op. En ze klapten maar door.
Haar eigen ouders stonden in de coulissen klaar met rode rozen. Voor iedereen een. De meester veegde het zweet van zijn voorhoofd en grijnsde van oor tot oor.
'Kicken!' riep Sterre tegen Doreen.
'We lijken wel echte sterren!' gilde Doreen terug. Haar ogen straalden.

In het gangetje naar boven toe was het een kabaal van jewelste. Alle beroemdheden joelden en klapten door elkaar heen.
'Bis! Bis!' riep Jade. 'Bis! Bis!'
Op de aankondigingsposter van de musical draaiden de sterrenpuntjes op de i als draaimolentjes stralend in het rond.

In een hand hield Sterre de roos van haar ouders en de bos bloemen van Jim vast. Met haar andere zwaaide ze stiekem naar de muur. Achter haar ouders aan liep ze de trap op.
In de keuken schonk moeder voor hen alle drie wat te drinken in.
'Proost! Op een geweldige avond!'
'Wat een briljante voorstelling,' zei vader. 'Ik heb zo genoten.'
'Iedereen heeft genoten,' zei moeder. 'De hele zaal hing aan jullie lippen!'
Sterre glimlachte.
'Maar Ster, je zou me nog iets vertellen. Ik heb een vermoeden na vanavond, maar ik wil het liever zeker weten,' zei moeder opeens ernstig. 'Waarom was dat toegangskaartje voor Jade nou zo belangrijk voor Doreen? En waarom moesten we voor haar familie stoelen reserveren op de eerste rij?'
'Oja. Eh... ik... ik mag het eigenlijk niet zeggen,' stamelde Sterre. 'De moeder van Do...'
Moeder fronste haar wenkbrauwen.
'Doreens moeder? Ik zag haar zitten met een sjaaltje om haar hoofd. Klopt het dat ze ziek is?'
Sterre knikte.
'Dat dacht ik al. Sjonge zeg, wat erg. Wilde je Doreen wat afleiding bezorgen met Jade?'
'Ja.'
'Dat is heel goed van je,' zei moeder. 'Heel goed van je.' Ze klonk trots.
'Knap dat haar moeder er vanavond was,' vond vader.
'Ze wilde het optreden van Do niet missen,' zei Sterre.
'Dat snap ik. Ik had jou ook niet willen missen, schat. Voor geen goud!'
Nee hè, dacht Sterre. Geen sentimenteel gedoe graag!

'Ik ga naar boven. Ik ben kapot.'
'Dat is goed. Welterusten, Ster.'
'Slaap lekker, meid.'
'Truste.'

Met een zucht kroop Sterre onder haar dekbed. Ze staarde naar de foto's in de lijst van Doreen. Deze avond was wel een Salto Van Geluk waard, vond ze. Wel tien! Misschien konden ze die zondag op de trampoline even doen. Doreen en zij moesten eraan gaan wennen dat ze elkaar vooral in het weekend zagen. Na de zomervakantie, in de brugklas, zou het niet anders meer kunnen. Dan bof ik nog, dacht ze. Jim en Daan zien elkaar nog veel minder.
Fijn dat internet er was en fijn dat er mobiele telefoons waren. Nou ja... als je moeder hem vergat mee te nemen op vakantie, was het iets minder fijn. Sterre grinnikte en sloot haar ogen. Kaarten schrijven met je SBFF is ook leuk, dacht ze. Jim is leuk. Zingen is leuk.
Ik kon het.
Ik durfde het.
Ik was goed!
Bis! Bis!

Met dank aan Wouter van Schie (theater Makoenders), die zo aardig was mij de musicaltekst van Sing Sing Sing! ter beschikking te stellen.
Voor meer informatie zie www.makoenders.nl

Over Simone Arts:

Simone Arts was een aantal jaren docent Nederlands en ze is moeder van drie meiden. Dat zijn gevaarlijke eigenschappen voor een kinderboekenschrijfster vindt ze zelf, want voor je het weet wordt een verhaal een les- of opvoedboek. En dat is niet de bedoeling!

Tijdens het schrijven merkte ze dat er stiekem toch een moraal in het verhaal was geslopen. Even overwoog ze daarom de hele handel in de prullenbak te gooien en opnieuw te beginnen. Maar toen bedacht ze dat het niet erg is om een verhaal te lezen waarvan je iets kunt leren, zolang het maar bij 'kunnen' blijft en geen 'moeten' wordt.

Van dit verhaal kun (mag, maar moet niet!) je dus iets leren.
Iets over jezelf. Iets heel moois, iets schitterends.
Veel leesplezier!

Dit boek kan gekozen worden door de Kinderjury 2013

Omslagtypografie: Ingrid Joustra

ISBN 9789025111762
NUR 283